序

　　金融舞弊案件頻傳，如何運用最新電腦稽核技術，將事後稽核提升到事前的防範與預測？唯有改變傳統無效查核方式，提升各階管理人員與內外部稽核人員在資訊化環境的查核實力，透過科學化風險評估分析，建構風險基礎稽核計畫，提升稽核成效，深化高風險項目查核，才能有效落實內控三道防線，迎向 Fintech 的機會與挑戰。

　　稽核人員並非資訊人員有時間與能力可以去學習很多新的資訊科技工具，因而國際電腦稽核教育協會(ICAEA)就強調:「稽核人員應是熟練一套 CAATs 工具與學習查核方法，來面對新的電子化營運環境的內稽內控挑戰，才是正道」。

　　本書是給有志從事稽核工作的人員，在新時代可以有效的使用新的工具(Modern Tools for Modern Time)，快速有效完成稽核作業，創造稽核價值。ACL是國際上使用最廣的 CAATs 工具，因此本書以其為例，透過實例資料的演練，讓稽核人員可以熟悉如何透過 ACL 來進行「行員盜用久未往來帳戶查核」。

　　AI 來襲，讓我們一起學習最人工智慧電腦輔助稽核分析工具，成為 AI 人工智慧新稽核！

JACKSOFT 傑克商業自動化股份有限公司

黃秀鳳總經理

2019/10/23

電腦稽核專業人員十誡

　　ICAEA 所訂的電腦稽核專業人員的倫理規範與實務守則，以實務應用與簡易了解為準則，一般又稱為『電腦稽核專業人員十誡』。其十項實務原則說明如下：

1. 願意承擔自己的電腦稽核工作的全部責任。

2. 對專業工作上所獲得的任何機密資訊應要確保其隱私與保密。

3. 對進行中或未來即將進行的電腦稽核工作應要確保自己具備有足夠的專業資格。

4. 對進行中或未來即將進行的電腦稽核工作應要確保自己使用專業適當的方法在進行。

5. 對所開發完成或修改的電腦稽核程式應要盡可能的符合最高的專業開發標準。

6. 應要確保自己專業判斷的完整性和獨立性。

7. 禁止進行或協助任何貪腐、賄賂或其他不正當財務欺騙性行為。

8. 應積極參與終身學習來發展自己的電腦稽核專業能力。

9. 應協助相關稽核小組成員的電腦稽核專業發展，以使整個團隊可以產生更佳的稽核效果與效率。

10. 應對社會大眾宣揚電腦稽核專業的價值與對公眾的利益。

目錄

頁碼

1. 舞弊三角形理論 2

2. ACL 久未往來帳戶管理查核範例 3

3. 行員盜用久未往來帳戶舞弊實務案例探討 4

4. 久未往來帳戶產生的新舞弊樣態 8

5. 企業舞弊成本計算參考模型 9

6. 法遵科技(RegTech)實務應用 10

7. Auditor Robots 審計人工智慧 12

8. 久未往來帳戶管理與查核重點 14

9. ACL 指令實習: Sort, Summarize, Join, Relation 等指令使用 23

10. 電腦稽核專案規劃六步驟 34

11. ACL 資料匯入與查核驗證實例演練 35

12. ACL 查核分析實例演練一：

　　情境一：久未往來帳戶正確性查核 50

　　情境二：久未往來帳戶交易活動查核 80

13. ACL 查核分析實例演練二：

　　情境三：高風險疑似久未往來帳戶洗錢查核 83

　　情境四：行員盜用久未往來帳戶舞弊查核 94

14. 久未往來帳戶持續性稽核實作演練 146

15. 有效建構風險基礎稽核計畫提升稽核成效 154

ACL實務個案演練
金融業查核
-行員盜用久未往來帳戶
查核實例演練

傑克商業自動化股份有限公司

JACKSOFT為台灣唯一通過經濟部能量登錄與ACL原廠雙重技術認證
「電腦稽核」專業輔導機構，技術服務品質有保障

國際電腦稽核教育協會
認證課程

舞弊發生原因
(Why good people do the wrong thing)

動機與壓力　Pressure (Real or Perceived)

機會
Opportunities, Consequences,
and Likelihood of Detection
(Real or Perceived)

Rationalization
行為合理化

舞弊三角形　　　　　　　　舞弊行為重複性

ACL久未往來帳戶管理查核範例

Dormant Account Banking Test

Looking for accounts with less than 4 transactions in the past year but with a cumulative transaction value in excess of $100,000

ACL™ | Desktop

06:01

ACL Desktop: Dormant Account Banking Test

https://www.dailymotion.com/video/x2uqujd 3

＊金管會重大裁罰案例＊

合○金庫商業銀行北台南分行初級辦事員巫○○自 97 年 12 月 16 日至 98 年 3 月 4 日調離該分行期間，以盜刻客戶印鑑併同變造之存摺挪用款項，或將客戶欲轉入支票存款帳戶之款項，改存入特定帳戶，或以領現方式挪用，合計挪用 8 個客戶帳戶，累計挪用金額新台幣 10,965,081 元。

裁罰情形：

金管會鑒於該行：（1）內部控制未能有效執行：該分行主管襄理及承辦對磁條更正及靜止戶恢復等交易未確實執行覆核及核對工作，另相關核章及會計人員於日終結帳時，亦未切實核對案關傳票金額與張數。（2）作業流程缺乏內控牽制機制：該分行辦理活存款項轉入支票存款帳戶時，櫃員還於 2 聯式存款憑條（或支存送款簿之存根聯）核蓋戳章交予客戶做為……

靜止戶遭行員盜領，匯○銀被罰200萬 (列為靜止戶之前，有……戶嗎？)

分享：🔲 喀嚓 🔲 🔲 🔲 G……

靜止戶遭盜 匯豐銀罰200萬

【聯合報／記者薛翔之、李淑慧／台北報導】　　　　20……

你放在銀行的戶頭，變成「靜止戶」了嗎？小心成為不肖行員覬覦的目……久未動用銀行戶頭，結果存款被不肖行員盜領一空；金管會建議民眾，……關照一下自己的存款帳戶。

所謂的「靜止戶」，各銀行的定義不一樣，大多數的本國銀行規定，存……下、且一段時間沒有往來，就算靜止戶。以台灣銀行為例，若帳戶存……且一年以上時間沒有存提紀錄，就是靜止戶。至於外商銀行多數規定，……算靜止戶，不限金額。

金管會昨天宣布，處分匯○銀行200萬元罰鍰，原因是該行程姓行員違法……方式，臨櫃提領客戶存款、並結清帳戶。經調查發現，這名行員共偽造……共得手77萬元。

國○世華女行員盜領八千萬
款項存入靜止戶 疑嫌犯不止一人

2005年01月08日 🔲 傳送 f 讚 0 G+1 0

國○世華銀行女行員呂○華盜領客戶存款八千萬元，資料照片

【陳東豪、侯柏青／台北報導】國○世華銀行行員呂○華去年底涉嫌盜領客戶存款近八千萬元，被調查局台北市調查處追查銀行疑似洗錢報告的過程中發現呂的犯罪行為，台北處昨天約談呂美華到案說明，檢調單位認為嫌犯應不止一人，幕後應還有共犯在逃，正深入調查中，呂昨晚移送檢方複訊。

盜刻帳戶印章

檢調單位表示，呂○華擔任國○世華銀行櫃檯服務人員，利用經手客戶存款資料的機會，預謀盜領客戶存款，女一方面先查閱國○世華銀行久無存、提款的靜止戶，做為盜領後的存放贓款帳戶，另一方面則在去年十一月底盜領客戶存款近八千萬元，匯款存到預先準備的靜止戶內。

檢調指出，呂利用控管帳戶之方便，將部分不法侵占的款項分成九百萬不等的金額，共計兩千多萬元匯入三個人頭帳戶，再盜刻這些帳戶的印章，事後交由親近友人提領兩千多萬元現金，但就在呂準備將剩下五千多萬元提領一空之前被調查局發現。

行員限制出境

檢調表示，呂美華匯出八千萬鉅款後，銀行依《洗錢防制法》向調查局通報鉅額匯款資料，台北處進行例行檢查時發現，靜止戶的所有人竟然不知自己銀行帳戶多了

4

行員挪用客戶資金　金管會開鍘　中O銀挨罰300萬

2015/08/27 19:12 記者顏真真 / 台北報導

字級 因 甲 小

行員涉勾結代辦信貸公司　金管會重罰大O銀400萬

| 正文 | 網友評論 | 友善列印 |

資金，有內
定，因此，

日O銀二案罰700萬　二家登陸不受影響

記者 王怡茹 報導 2010/08/06

日O銀行因作業缺失，不符銀行法規定，共被罰款700萬元
（圖/卡優新聞網）

記者榮怡杼／台北報導

大O銀行(2847)行員涉嫌勾結信貸代辦公司
管會表示，從100年就發現大O銀信貸業務
此，重罰400萬元。

金管會表示，100年時金管就發現大O銀
審作業不確實等內控制度制度未建立及未確
較長、層面較大，因此，核處大眾銀400萬

金管會大動作「開鍘」，不罰則已，一次就罰了4家知名銀行。其中，違規情節最嚴重的是日O銀行，共有2個裁罰案，遭罰700萬元，而國O世華及台O銀行各罰200萬元，至於中國信託則是被罰100萬元，加總起來，總罰款金額高達1,200萬元。

日O銀行違規的兩個案子均發生在2008年間，其一是因該行一般業務檢查報告所列損失準備提列不足、漏列報逾期放款及授信檔卷遺失等項缺失，違反銀行法第45條之1第1項及第2項規定，被處500萬元罰鍰。

在國O世華方面，主要是因內部控管有疏失，該行板橋分行辦事員於2008年11月至2009年4月任職外匯經辦期間，以偽造客戶印章、無摺取款之方式，分次小額提取多名久未往來客戶之外匯存款，折合新台幣約為440萬元。

股災賠錢動歪念 O銀行員監守自盜700萬

2015年08月30日　傳送　f 讚 501

【廖珮君／台
竟因投資失利

金庫當提款機！　富O銀行出納A走1600萬

記者 陳致宇 楊致中 / 台北 報導
2015/11/25 12:25 (更新時間：2015/11/25 19:56)

【TVBS】金庫當提款機！　富O銀行出納A走1600萬

台北市
16~19
18:58
現金報表灌水！出納進出金庫管理疑鬆散
港店爆燈 沒陸客後 周大福年關10間店 莎莎降薪20%

傳送　f 讚 46　G+1　0

O他
員因
損
元

日
網

台北富O銀行爆發員工監守自盜案，一名趙姓出納平時負責統計金庫跟ATM庫存現金，但他藉由職務之便，在每日現金金庫存明細表上灌水私下A走現金，蠶食鯨吞一年侵占1600萬元，直到這個月11日他擔心休假時，被同事發現現金額短少，自行到台北地檢署自首，他供稱因為投資失利才會動歪腦筋，富O銀行表示，目前這名員工已經停職處分，也會配合調查。

0年前開始擅自將親友或客戶定存解
後又一再加碼，從2003年到2013
5元，受害客戶共8人。台中地院今
男有期徒刑4年6月。仍可上訴。

日○銀職員盜領1.5億 存戶告詐欺
2016年06月28日 04:10 洪榮志 / 台南報導

○盛銀行新營分行爆發33歲副理沈○玲盜領客戶金額超過1億5000萬元後，受害客戶除成立自救會，27日更在台南市議員李○之陪同下，前往台南地檢署按鈴控告沈女及○盛銀行相關主管涉及詐欺、背信與偽造文書等罪嫌，要求○盛銀行全額償還受害人被盜領的款項。

受害人還激動說，剛開始銀行方面對受害人要求查帳態度消極，經市議員李○之和立委黃○哲居間協調會○盛同意先日前給受害人完整

自救會表示，當初行卻疏於內部管理否銀行高層有包庇檢方提出告訴，希

台南
銀行（中國時報）

自救會陸續強調無法苟與○盛銀行對全案處理態度消極和拖延，並揚言將發起更激金調介入調查，還給受害人公平

，及對金融單位內部戶帳戶，盜取存款戶直到5月21日看到媒

消極，經市議員李○之開2次協調會，第一次二次則允諾於6月17，令人氣結。

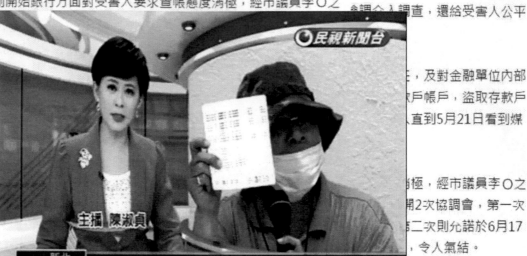

○盛銀爆盜領 存戶要求銀行負責　7

久未往來帳戶產生的新舞弊樣態

As Wells Fargo reveals 1.4M more fraudulent accounts, companies must also eye internal threats
富國銀行騙很大再爆140萬造假帳戶

What Is Account Takeover Fraud?　銀行帳號被盜

business > banking
Commonwealth Bank's Dollarmite scam exposed
THOUSANDS of Dollarmite accounts were dishonestly used by bankers in a widespread scam to earn bonuses and reach targets.
澳洲聯邦銀行利用小孩帳戶舞弊

Dormant Account Scams　久未往來帳戶詐騙電郵
YOUR PAYMENT IS IN SERIOUS DANGER (Scam Alert)

8

計算你的企業舞弊成本的參考模型?

- 模式一: 員工人數

  美國公司每年損失每位員工的舞弊或浪費的成本U.S. $4,500 (U.S. organizations lose about $4,500 per employee annually as a result of occupational fraud and abuse)

  年度舞弊成本= 員工數 * $4,500

- 模式二: 營業額

  世界各組織平均損失5%的營業額在舞弊

  (Worldwide organizations, on average, lose 5% of revenues to fraud.)

  年度舞弊成本= 年營業額 * 5%

  資料來源: 2014 Report to the Nations on Occupational Fraud and Abuse. Copyright 2014 by the **Association of Certified Fraud Examiners, Inc.**

法遵科技(RegTech)的應用

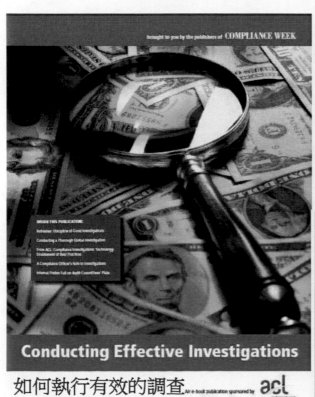

法遵科技(RegTech)應用範疇

外部法遵:
- 政府規定: SOX, FCPA, OFAC....
- 產業規定: HIPAA, PCI DDS, Dodd Frank, OMB A-123, AML....

內部治理:
- ITGC, ISO, COBIT, COSO......

 **Policy Attestation** Whodunnit, who didn't? Centrally track attestation of corporate policies to assess your workforce's compliance with annual policy and training.	**FCPA Compliance** Don't get bitten by the FCPA	**Whistle Blower or Incident Hotline** Build a better whistle. A cornerstone of sound ethics and risk management.
Contract Compliance Take control now! Centrally manage contracts for the very best practice in oversight.	**Export Compliance** If you're global and you know it...protect yourself from embarrassing export risks.	**Regulatory Compliance** Are 29,000+ regulatory changes per year keeping you up at night? Confidently manage impact and update your business.
Banking & Insurance Compliance Take the devil out of the details. Manage your financial services regulatory obligations.	**Conduct Risk Management** Regulators want proof of conduct assurance. Paint them a pretty picture.	**AML Compliance** Keep the regulators out of your laundry.

近年來透過資料分析技術(CAATs)來達成內外法遵的要求有明顯的提高趨勢。　　--- ICAEA

11

Auditor Robots審計人工智慧

You're either the one creating automation ... or you're the one being automated.

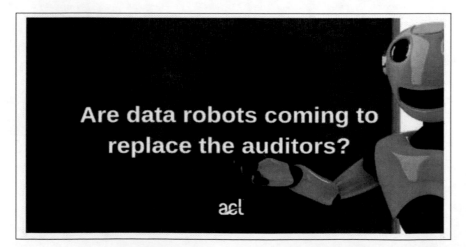

A recent Oxford University study examined how automation and robotics are affecting different professions. Among the over 600 professions considered, auditing was right at the top—deemed by researchers as a profession ripe for automation, with a 96% chance of being largely replaced by computers in the next two to three decades.

Data Source: 2017 ACL

12

稽核人員的使用工具的變革

1980 前　　算盤
1980~1990　計算機
1990~2000　試算表(Excel)或會計資訊系統
2000~2005　管理資訊系統(MIS)與企業資源規劃(ERP)系統
2005~2010　電腦稽核系統 (CAATs)
2010~2015　持續性稽核系統、內控自評系統與年度稽核計畫系統
2015~2018　雲端審計與風險與法遵管理系統(GRC)
2018~　　　AI人工智慧、雲端大數據與法遵科技

「久未往來帳戶」作業法規遵循

法規名稱：　中華民國銀行公會金融機構開戶作業審核程序暨異常帳戶風險控管之作業 範本
修正時間：　中華民國105年2月19日

所有條文　編章節　**條文檢索**　**歷史沿革**　**相關令函**　相關判解　**制定依據**　附屬法規

🔍 所有條文　　　　　　　　　　　　　　　　　　　　　🖨友善列印　　回上一頁

第一條　　　　第四條

為提升金融機　金融機構受理客戶開立存款帳戶，如有本辦法第十三條所列情形，應拒絕
防杜異常帳戶　客戶之開戶申請。
其疑似不法或
及相關規定訂

- -

第五條

金融機構辦理存款帳戶應建立事後追蹤管理機制，並應依下列方式辦理：
一、對採用委託開戶或開戶後發現可疑之客戶，應以電話、書面或實地查
　　訪等方式再確認，並做適當處理。
二、對新開立或久未往來帳戶應加強監控。
三、應利用資訊系統，輔助發現可疑交易，並依據本辦法第十六條辦理。

存款帳戶及其疑似不法或顯屬異常交易管理辦法(103.08.20金管銀法字第10310004610號令修正)英

第 4 條　本辦法所稱疑似不法或顯屬異常交易存款帳戶之認定標準及分類如下：

一、第一類：

（一）屬偽冒開戶者。

（二）屬警示帳戶者。

（三）屬衍生管制帳戶者。

二、第二類：

（一）短期間內頻繁申請開立存款帳戶，且無法提出合理說明者。

（二）客戶申請之交易功能與其年齡或背景顯不相當者。

（三）客戶提供之聯絡資料均無法以合理之方式查證者。

（四）存款帳戶經金融機構或民眾通知，疑為犯罪行為人使用者。

（五）存款帳戶內常有多筆小額轉出入交易，近似測試行為者。

（六）短期間內密集使用銀行之電子服務或設備，與客戶日常交易習慣明顯不符者。

（七）存款帳戶久未往來，突有異常交易者。

（八）符合銀行防制洗錢注意事項範本所列疑似洗錢表徵之交易者。

（九）其他經主管機關或銀行認定為疑似不法或顯屬異常交易之存款帳戶

15

疑似洗錢交易Q&A

六、新開戶、靜止戶或久未往來之帳戶突然有大額交易。

◆案例：

A 新開戶後即存入 4 億 5000 萬元，隨即開立 6 張面額均為 6000 萬元之臺灣銀行支票（共計 3 億 6000 萬元），餘款匯往多個他人帳戶。

◆案例事實：

【臺灣高等法院九十二年度金上重更（一）字第五號判決參照】

某票券公司自甲銀行松江分行取出託

管之無記名式公債 309 張（共計 11 億

7590 萬元）剪取息票，該行職員 A 乘該

票券公司返還

為何需要查核久未往來帳戶？

部份塵封已久的久未往來帳戶突然開啟，很有可能變成詐騙集團利用的「人頭戶」，因此金管會特別要求銀行公會將久未往來帳戶管理納入「銀行業開戶作業檢核表」之中，希望能夠杜絕私人帳戶被濫用。

	開戶作業檢核表範本	日期：	
		身分證統編： □□□□□□□□□□	
		姓名：	

編號	開戶檢核作業項目	確認結果	臨櫃應注意事項
1	雙重身分證明文件查核。 第二證件名稱：□健保卡 □駕照 □護照 □學生證 □其他：_____ 第二證件號碼/卡號：_____	□是　□異常	①提示文件
2	身分證之相片是否與本人相符。	□是　□異常	
3	開戶目的清楚表達：□儲蓄 □薪轉 □證券戶 □資金調撥 □投資 □其他：_____。	□合理　□異常	②應對話術

久未往來帳戶與洗錢防制法的關係

ACL 銀行業利用資料分析技術進行舞弊查核手冊

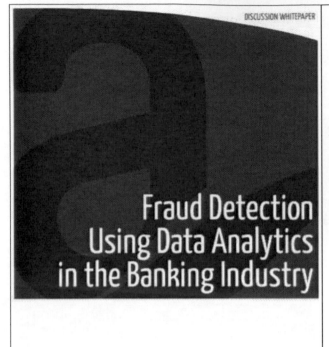

DISCUSSION WHITEPAPER

Fraud Detection Using Data Analytics in the Banking Industry

acl

Table of Contents

WHAT IS FRAUD? 3

WHO IS RESPONSIBLE FOR FRAUD DETECTION? 3

WHY USE DATA ANALYSIS FOR FRAUD DETECTION? 4

ANALYTICAL TECHNIQUES FOR FRAUD DETECTION 5

FRAUD DETECTION PROGRAM STRATEGIES 5

BANKING 6

BANKING RELATED FRAUD SCHEMES: 6

   Corruption 6

   Cash 6

   Billing 6

   Check Tampering 6

   Skimming 7

   Larceny 7

   Financial Statement Fraud 7

OTHER RESOURCES 7

ABOUT ACL 8

19

銀行業的
Fraud Detection

This e-book is focused on using data analytics to implement a successful fraud program, including key considerations and techniques for **DETECTING FRAUD** with a number of examples that you can apply in your organization.

Banking/Financial Services – 298 Cases		
Scheme	Number of Cases	Percent of Cases
Corruption	101	33.9%
Cash on Hand	64	21.5%
Billing	37	12.4%
Check Tampering	35	11.7%
Non-Cash	33	11.1%
Skimming	32	10.7%
Larceny	29	9.7%
Expense Reimbursements	20	6.7%
Financial Statement Fraud	16	5.4%
Payroll	9	3.0%
Register Disbursements	8	2.7%

銀行業各類Fraud的發生風險

Larceny 竊盜

- Identify customer account takeover.
- Identify co-opted customer account information.
- Locate number of loans by customer or bank employee without repayments.
- Find loan amounts greater than the value of specified item or collateral.
- Highlight sudden activity in dormant customer accounts – identify who is processing transactions against these accounts.
- Isolate mortgage fraud schemes – identify "straw buyer" scheme indicators.

Financial Statement Fraud 財報不實

- Monitor dormant and suspense General Ledger accounts.
- Identify Journal Entries at suspicious times.

久未往來帳戶查核監控
可降低 FRAUD風險

20

各銀行之久未往來帳戶定義?

各銀行轉入靜止戶門檻概況

活期存款	活期儲蓄	主要銀行
未達1萬元	未達1萬元	中國信託、台新銀、元大銀、永豐銀、玉山銀、遠東銀、萬泰銀、台中銀、京城銀、陽信銀
未達1萬元	未達5000元	土銀、國泰世華銀、日盛銀、華泰銀、三信銀、農業金庫
未達5000元	未達5000元	大台北銀行
未達5000元	未達1000元	第一銀行
未達1000元	未達1000元	台灣銀行、彰化銀行、高雄銀、台企銀
未達500元	未達500元	華南銀
未達500元	未達100元	合作金庫、新光銀、板信銀、聯邦銀、安泰銀
未達100元	未達100元	台北富邦銀、兆豐銀
不設金額、但有年限		滙豐銀、郵局、大眾銀

註：上述銀行存戶，還須有一定期間（1~5年）沒往來，才會轉入靜止戶；上海商銀不設靜止戶　　資料來源: 2012/07 銀行公會　21

久未往來帳戶查核十大步驟

1. 取得久未往來帳戶清單
2. 判別帳戶被歸類為久未往來帳戶後是否還有交易活動
3. 若久未往來帳戶有交易活動，則追蹤存款與提款類別的交易
4. 確認這些交易已有久未往來帳戶的客戶簽名
5. 確認久未往來帳戶恢復往來的原因
6. 確認有向久未往來帳戶收取每月服務費
7. 追蹤恢復往來的久未往來帳戶交易資料以及久未往來帳戶狀態變更的授權
8. 確認訂定檢核久未往來帳戶的管理政策與落實政策
9. 寄送確認信
   - 主動確認通知所有久未往來帳戶客戶，確認其有收到存入帳戶的存款(洗錢防制)
   - 主動確認通知久未往來帳戶客戶，其帳戶狀態已轉為恢復往來帳戶
   - 主動確認通知客戶其帳戶狀態被轉為久未往來帳戶
10. 確保適當維護與控管久未往來帳戶印鑑卡(Signature cards)資料

資料來源：bankersonline　　22

ACL指令實習:

Sort, Summarize, Join, Relation 等指令使用

ACL指令說明—Sort

在ACL系統中，提供使用者Sort 指令，可以快速的建立依某條件排序的實際新資料表單，讓查核者可以利用來進行後續分析。

```
SORT ON {key_field <D>} <...n> TO tablename <IF test> <WHILE test>
<{FIRST|NEXT} range> <APPEND> <OPEN> <ISOLOCALE locale_code>
```

ACL指令說明─Summarize

可以同時分析多個文字欄位與日期欄位，但這些要分析的欄位資料需要先經過排序，ACL才能對每個關鍵文字或日期欄位的不同值分類產生記錄筆數（Count）和數值欄位的加總。

25

ACL指令說明─Join與 Relate Tables

在ACL系統中，提供使用者可以運用**比對**(Join)、**勾稽**(Relations)、和**合併**(Merge)......等指令"，可結合兩個或兩個以上的資料檔案，並成第三個檔案進行資料查核分析 。

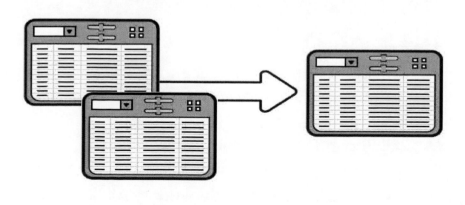

26

可同時使用多個資料表進行分析:

▪Join指令: 比對

–比對『兩個排序』檔案的欄位成為第三個檔案。

▪Relations指令: 勾稽

–『兩個或更多個檔案』間建立關聯,大部分功能
可以用勾稽指令來執行且速度更快與更容易。

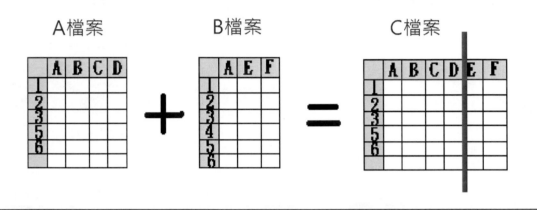

A檔案 B檔案 C檔案

27

Join(比對)指令使用五大步驟 :

1. 要比對檔案資料須屬於同一個ACL專案中。
2. 兩個檔案中需有共同特徵欄位/鍵值欄位(例如:員工編號、身份證號)。
3. 特徵欄位中的資料型態、長度需要一致。
4. 執行比對時須先將次要檔案進行排序。
5. 選擇Join類別:
   A. Matched Primary and Secondary 1st Secondary Match
   B. Unmatched Primary
   C. All Primary and Matched Secondary
   D. All Secondary and Matched Primary
   E. All Primary and Secondary
   F. Matched Primary and Secondary All Secondary Matchs

28

Join的六種分析狀況

◆ 分為對六種狀況：

➢ 狀況一：僅保留對應成功的資料。
(Matched Primary and Secondary 1st Secondary Match)

➢ 狀況二：保留未對應成功的主要檔資料。
(Unmatched Primary)

➢ 狀況三：僅保留對應成功與主要檔中未對應成功的資料。
(All Primary and Matched Secondary)

➢ 狀況四：僅保留對應成功與次要檔中未對應成功的資料。
(All Secondary and Matched Primary)

➢ 狀況五：保留所有對應成功與未對應成功的主檔與次檔資料。
(All Primary and Secondary)

➢ 狀況六：保留對應成功的所有次要檔資料
(Matched Primary and Secondary All Secondary Matchs)

Join指令操作畫面新舊比較:

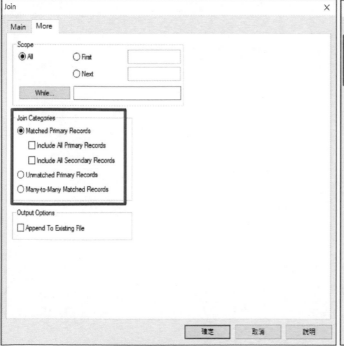

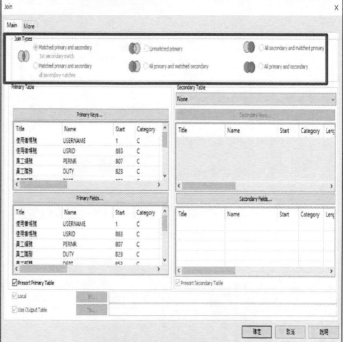

AN13版以前　　　　　　　　　　　　　AN14版(NEW)

Join(比對)指令_類別介紹:

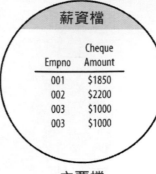

薪資檔	
Empno	Cheque Amount
001	$1850
002	$2200
003	$1000
003	$1000

主要檔

員工檔	
Empno	Pay Per Period
001	$1850
003	$2000
004	$1975
005	$2450

次要檔

② **Unmatched Primary**

① **Matched Primary and Secondary**

1st Secondary Match

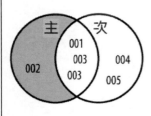

輸出檔	
Empno	Cheque Amount
002	$2200

輸出檔		
Empno	Cheque Amount	Pay Per Period
001	$1850	$1850
003	$1000	$2000
003	$1000	$2000

31

Join(比對)指令_類別介紹:

薪資檔	
Empno	Cheque Amount
001	$1850
002	$2200
003	$1000
003	$1000

主要檔

員工檔	
Empno	Pay Per Period
001	$1850
003	$2000
004	$1975
005	$2450

次要檔

④ **All Secondary and Matched Primary**

③ **All Primary and Matched Secondary**

輸出檔		
Empno	Cheque Amount	Pay Per Period
001	$1850	$1850
003	$1000	$2000
003	$1000	$2000
004	$0	$1975
005	$0	$2450

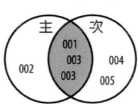
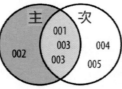

輸出檔		
Empno	Cheque Amount	Pay Per Period
001	$1850	$1850
002	$2200	$0
003	$1000	$2000
003	$1000	$2000

32

Join(比對)指令_類別介紹:

薪資檔

Empno	Cheque Amount
001	$1850
002	$2200
003	$1000
003	$1000

主要檔

員工檔

Empno	Pay Per Period
001	$1850
003	$2000
004	$1975
005	$2450

次要檔

⑤ **All Primary and Secondary**

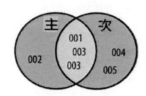

輸出檔

Empno	Cheque Amount	Pay Per Period
001	$1850	$1850
002	$2200	$0
003	$1000	$2000
003	$1000	$2000
004	$0	$1975
005	$0	$2450

電腦稽核專案進行六步驟:

➢ 專案規劃方法採用六個階段:

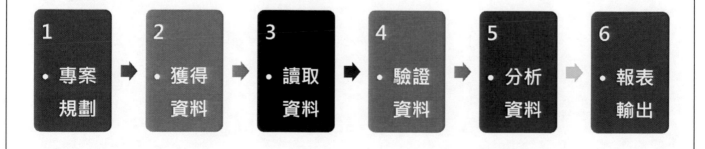

1	2	3	4	5	6
• 專案規劃	• 獲得資料	• 讀取資料	• 驗證資料	• 分析資料	• 報表輸出

1. 專案規劃(久未往來帳戶管理)

查核項目	銀行帳戶管理作業	存放檔名	久未往來帳戶管理查核
查核目標	查核確認是否有異常之久未往來帳戶活動發生。		
查核說明	針對久未往來帳戶與其交易活動紀錄進行查核，檢核是否有須深入追查之久未往來帳戶交易紀錄。		
查核程式	(1)**久未往來帳戶正確性查核** – 依本行規定久未往來帳戶條件(過去一年未交易且帳戶金額小於100元)查核列出現有久未往來帳戶，並比對確認本行提供之久未往來帳戶資料正確性 (2)**久未往來帳戶交易活動查核** – 依本行提供之久未往來帳戶清單，列出屬於久未往來狀態且過去一年內有交易活動的帳戶與交易紀錄。		
資料檔案	帳戶基本資料檔、存款交易明細檔		
所需欄位	請詳後附件明細表		

35

資料擷取

36

獲得資料

- 稽核部門可以寄發稽核通知單，通知受查單位準備之資料及格式。
- 檔案資料：
  - ☑ 帳戶基本資料檔.CSV
  - ☑ 存款交易明細檔.CSV
  - ☑ 員工基本資料檔.CSV

稽核通知單

受文者	ABC銀行　　　　　資訊室	
主旨	為進行銀行久未往來帳戶查核工作，請 貴單位提供相關檔案資料以利查核工作之進行。所需資訊如下說明。	
說明		
一、	本單位擬於民國XX年XX月XX日開始進行為期X天之例行性查核，為使查核工作順利進行，謹請在XX月XX日前 惠予提供XXXX年XX月XX日至XXXX年XX月XX日之久未往來帳戶查核相關明細檔案資料，如附件。	
二、	依年度稽核計畫辦理。	
三、	後附資料之提供，若擷取時有任何不甚明瞭之處敬祈隨時與稽核人員聯絡。	
請提供檔案明細：		
一、	帳戶基本資料檔、存款交易明細檔、員工基本資料檔，請提供包含欄位名稱且以逗號分隔的文字檔，並提供相關檔案格式說明(請詳附件)	
稽核人員：John	稽核主管：Sherry	

帳戶基本資料檔 (Account_Holder_Master)

開始欄位	長度	欄位名稱	意義	型態	備註
1	20	ACCOUNT_ID	帳戶編號	C	
21	8	NAME	持有人姓名	C	
29	50	ADDRESS	持有人住址	C	
79	16	START_DATE	開戶日期	D	YYYYMMDD
95	2	DORMANT	是否為久未往來帳戶	C	是：Y／否：N

- C：表示字串欄位　　※**資料筆數：63,602**
- D：表示日期欄位

存款交易明細檔 (Deposit_Account_Transactions)

開始欄位	長度	欄位名稱	意義	型態	備註
1	20	ACCOUNT_ID	帳戶編號	C	
21	16	DATE	交易日期	D	YYYYMMDD
37	24	CUR_BAL	目前帳戶餘額	N	
61	24	OPE_BAL	前期帳戶餘額	N	
85	12	TRANS_TYPE	交易類型	N	CREDIT / DEBIT
97	24	TRANS_VALUE	交易金額	N	
121	14	EPM_NO	負責行員	C	

- C：表示字串欄位　　※資料筆數：275,999
- N：表示數值欄位
- D：表示日期欄位

員工基本資料檔 (Emp_Master)

開始欄位	長度	欄位名稱	意義	型態	備註
1	14	EMP_NO	員工編號	C	
15	8	NAME	員工姓名	C	
23	16	HIRE_DATE	雇用日期	D	YYYYMMDD

- C：表示字串欄位　　※資料筆數：5,118
- N：表示數值欄位
- D：表示日期欄位

讀取資料

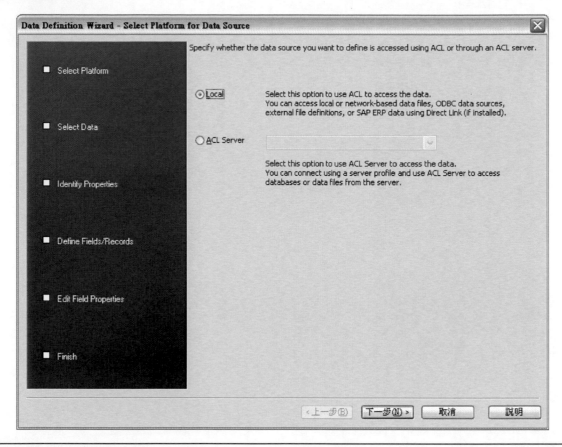

讀取資料

讀取資料

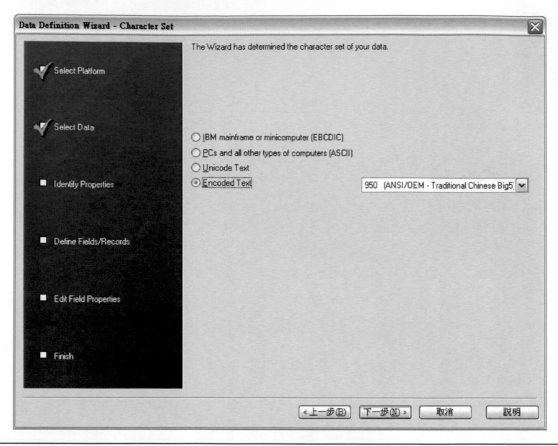

讀取資料

系統自動判別為Delimited text file檔

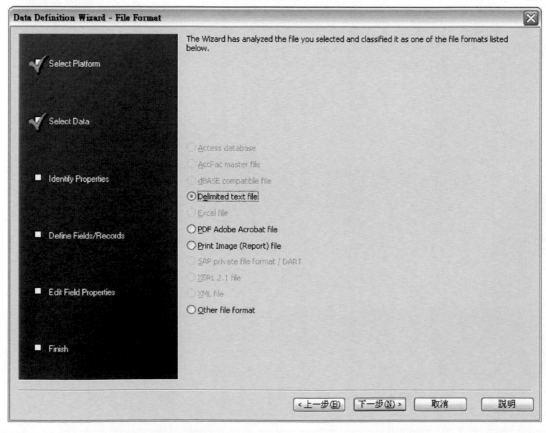

自動判別欄位資料

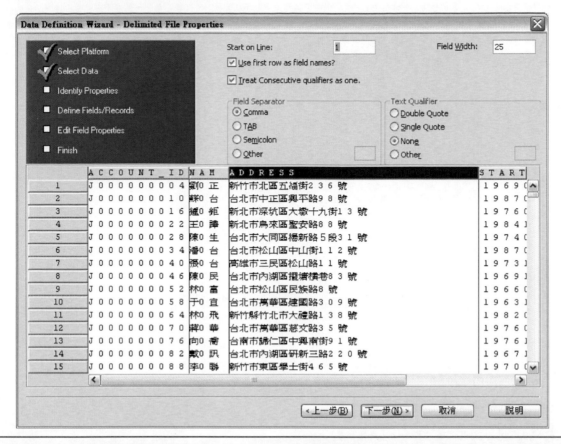

定義資料欄位

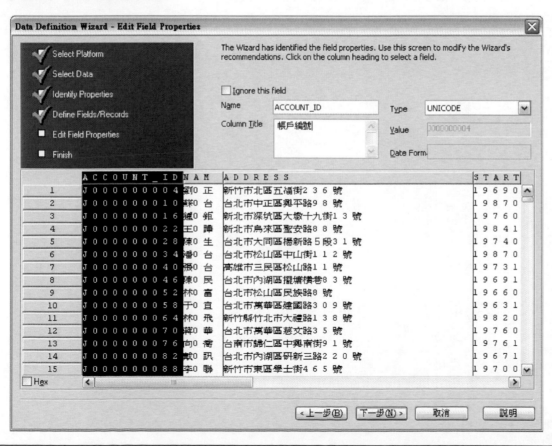

資料匯入與欄位定義

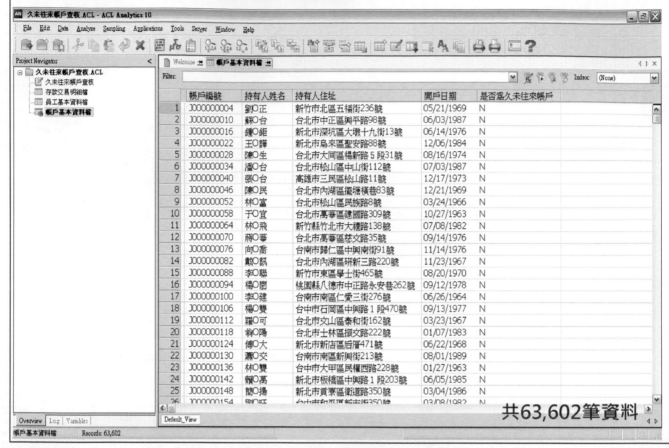

共63,602筆資料

47

存款交易明細檔資料匯入

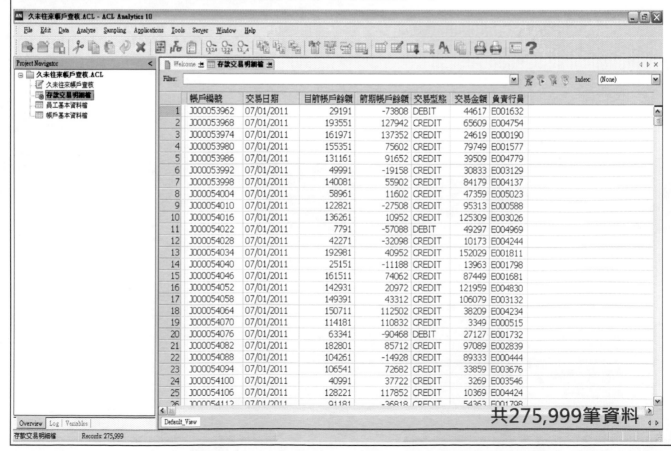

共275,999筆資料

48

資料匯入與欄位定義

共5,118筆資料

ACL實例演練一:
久未往來帳戶管理查核

情境一：久未往來帳戶正確性查核 主要稽核步驟

Step 1：列出過去一年未交易(2011/10/1~2012/10/31)之帳號資料

Step 2：列出所有帳戶最後一次交易日期的餘額

Step 3：勾稽 Step1 與Step 2資料，列出過去一年未交易且帳戶餘額小於100元之新久未往來帳戶資料檔

Step 4：比對新久未往來帳戶與現有久未往來帳戶資料，列出差異之帳戶資料檔

51

情境一：久未往來帳戶正確性查核主要稽核步驟流程圖

Step1 列出過去一年未交易之帳號資料 ①

(主)

Step3

RELATION
勾稽 Step1 與 Step 2資料 ②

SET FILTER
帳戶最後一次交易資料檔.CUR_BAL < 100
篩選帳戶餘額小於100的帳戶 ③

新久未往來帳戶資料檔 ④

(主)

(次)

Step2 列出所有帳戶最後一次交易日期的餘額 ①

現有久未往來帳戶資料檔 ④

(次)

JOIN UNMATCH
比對久未往來帳戶與久未往來帳戶資料 ⑤

差異帳戶資料 ⑥

Step4

52

情境一 Step1：列出過去一年未交易之帳號資料檔流程圖

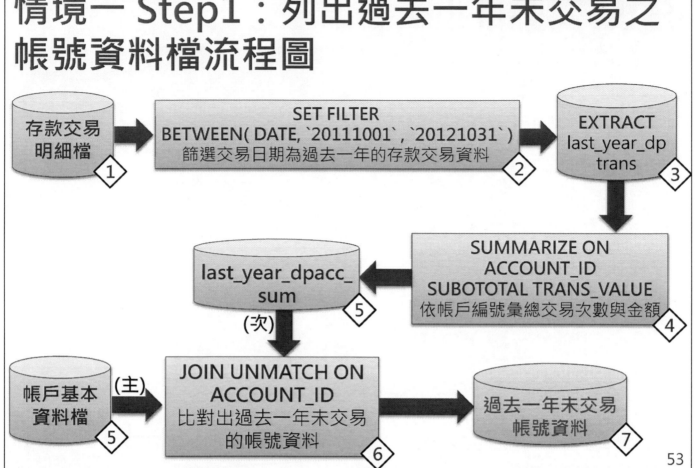

分析資料 – Filter

- 開啟存款交易明細檔
- 點擊 🖍
- 輸入篩選條件
- 點選Verify驗證篩選條件是否正確
- 點選" OK" 完成

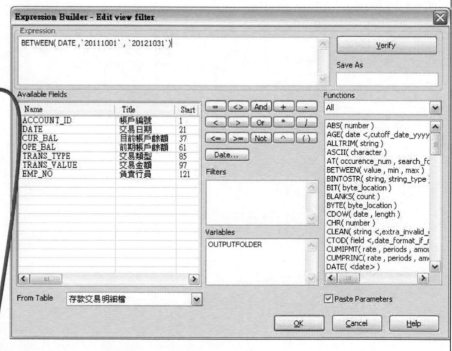

BETWEEN(DATE, `20111001`, `20121031`)

分析資料 – Filter結果

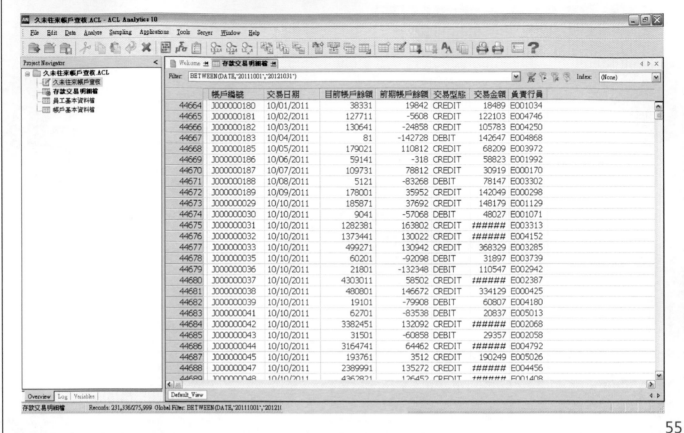

分析資料 – Extract

- 在顯示篩選結果視窗
- Data→Extract Data
- 選擇Record，列出所有紀錄
- 檔名為 "last_year_dptrans"
- 點選"確定"完成

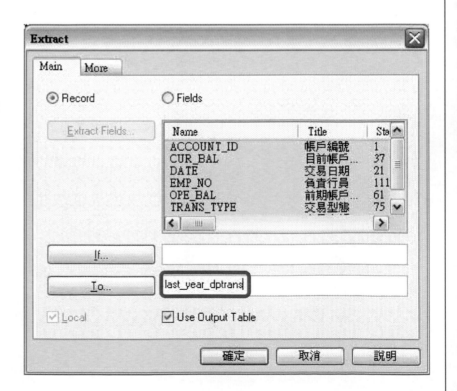

分析資料 – Extract結果

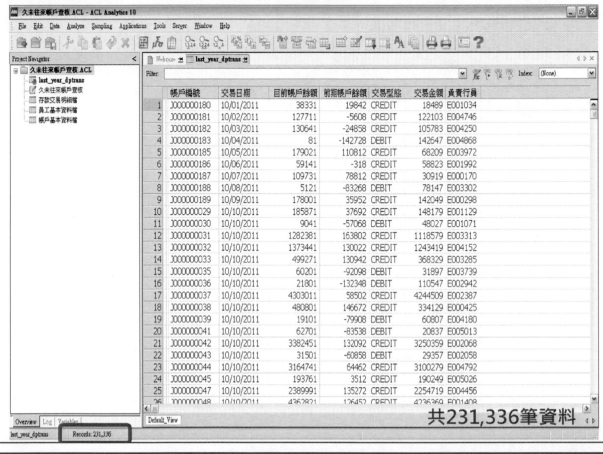

共231,336筆資料

57

分析資料 – Classify

- 開啟last_year_dptrans
- 點擊
  Analyze →Classify
- 依據**帳戶編號**進行彙總
- 加總**交易金額**
- Output選擇File
- 檔名輸入
  last_year_dpacc_sum
- 點選"確定"完成

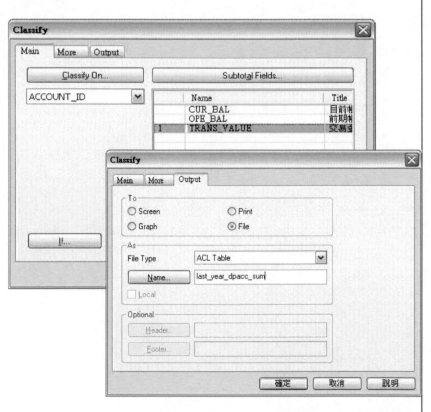

58

分析資料 – Classify結果

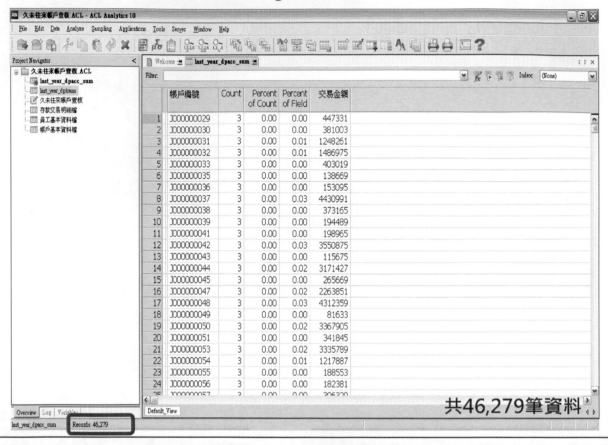

共46,279筆資料

分析資料 – Join

- 開啟帳戶基本資料檔
- Data→Join Table
- Secondary Table選取 last_year_dpacc_sum
- 以**帳戶編號**為兩表之關聯鍵
- 將主表所有欄位勾選列出
- Join Types 選擇 Unmatched Primary
- 輸入檔名為"過去一年未交易之帳號資料 "
- 點擊「確定」

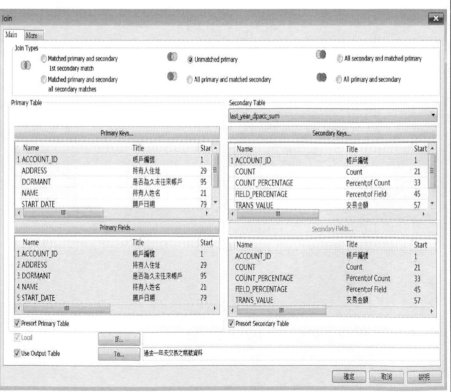

分析資料－Join結果畫面

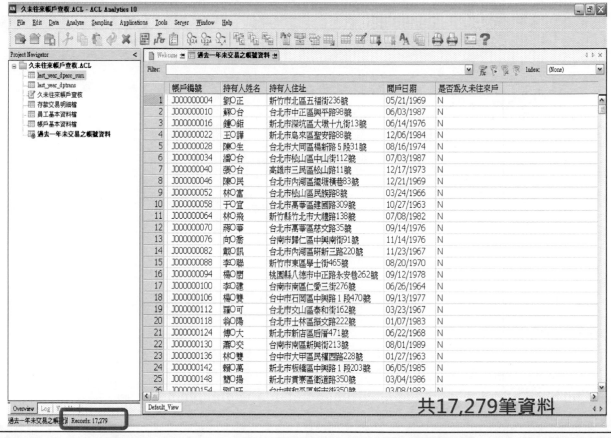

共17,279筆資料

61

情境一 Step2：列出帳戶最後一次交易日期與餘額流程圖

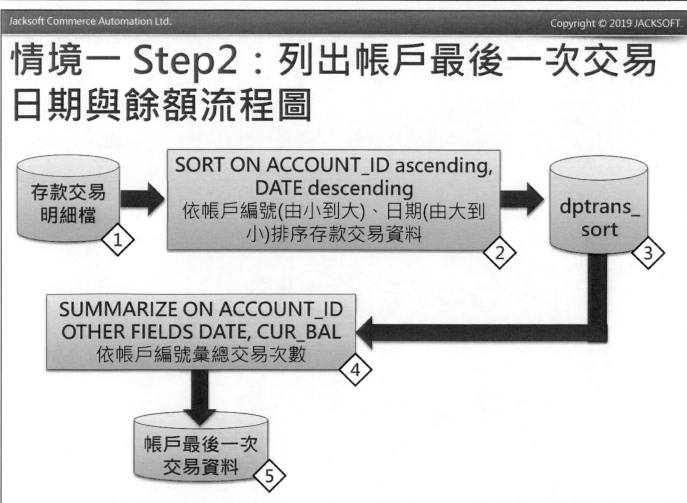

62

分析資料 – Sort

- 開啟存款交易明細檔
- 點擊
  Data→Sort Resords
- 點擊Sort on，選擇
  帳戶編號小→大排序；
  交易日期大→小排序
- 點選OK
- 檔名輸入
  "dptrans_sort"
- 點選"確定"完成

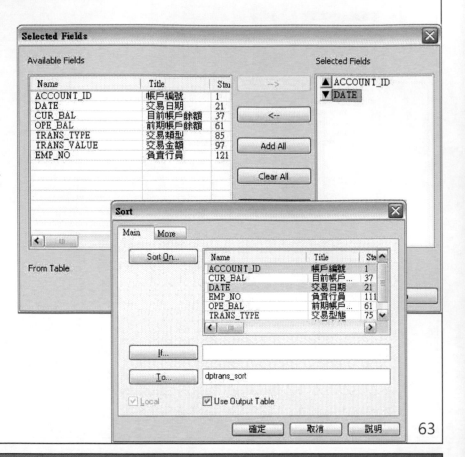

63

分析資料 – Sort結果

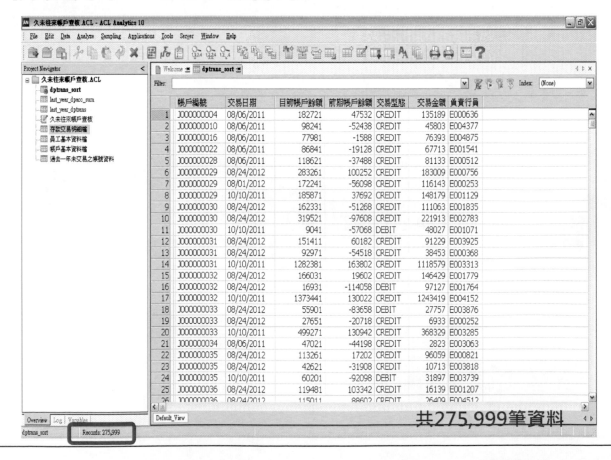

共275,999筆資料

64

分析資料 – Summarize

- 開啟dptrans_sort
- 點擊
  Analyze →Summarize
- 依據 帳戶編號進行彙總
- Other Fields 選擇交易
  日期、目前帳戶餘額
- Output選擇File
- 檔名輸入"帳戶最後一
  次交易資料"
- 點選"確定"完成

65

分析資料 – Summarize結果

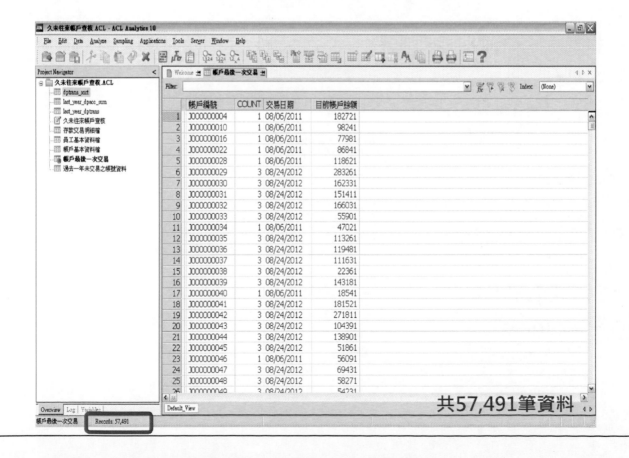

共57,491筆資料

66

情境一 Step3：勾稽 Step1 與Step 2資料，列出過去一年未交易且帳戶餘額小於100元之新久未往來帳戶資料檔流程圖

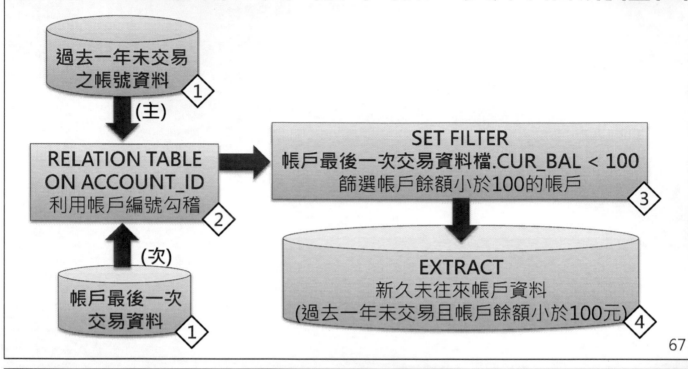

過去一年未交易之帳號資料 ①
(主)

RELATION TABLE ON ACCOUNT_ID
利用帳戶編號勾稽 ②

(次)

帳戶最後一次交易資料 ①

SET FILTER
帳戶最後一次交易資料檔.CUR_BAL < 100
篩選帳戶餘額小於100的帳戶 ③

EXTRACT
新久未往來帳戶資料
(過去一年未交易且帳戶餘額小於100元) ④

67

分析資料 – Relation

- 開啟過去一年未交易之帳號資料
- Data→Relate Tables
- 點選Add Table加入 "帳戶最後一次交易資料"
- 建立兩表的關聯鍵 "帳戶編號 (ACCOUNT_ID) "
- 點選「Finish」

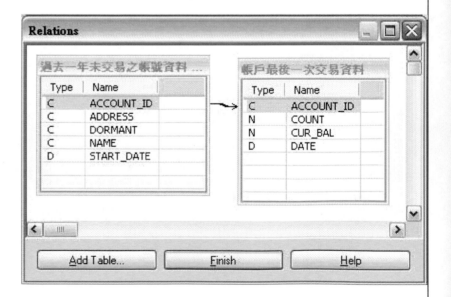

68

分析資料 – Filter

- 開啟過去一年未交易之帳號資料
- 點擊 𝑓𝑥
- 輸入**篩選條件**
- 點選Verify驗證篩選條件是否正確
- 點選" OK" 完成

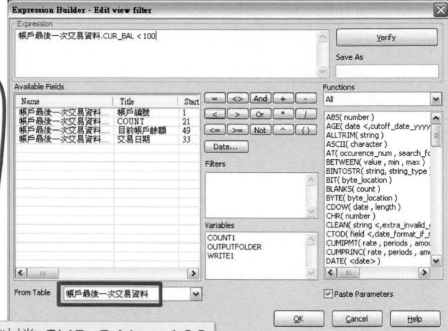

帳戶最後一次交易資料檔.CUR_BAL < 100

分析資料 – Filter結果

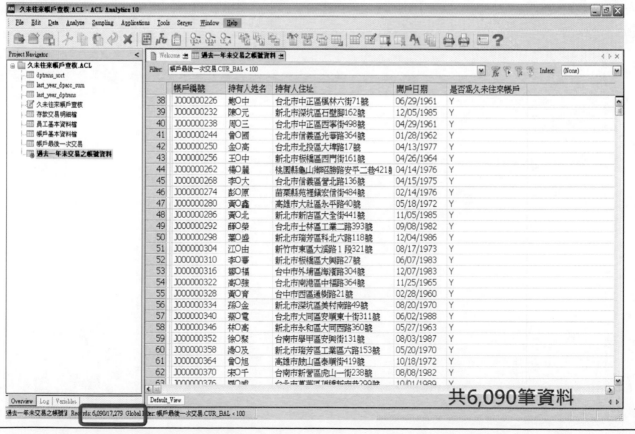

共6,090筆資料

分析資料 – Extract

- 在顯示篩選結果視窗
- Data→Extract Data
- 選擇Record，列出所有紀錄
- 檔名為 "新久未往來帳戶資料"
- 點選"確定"完成

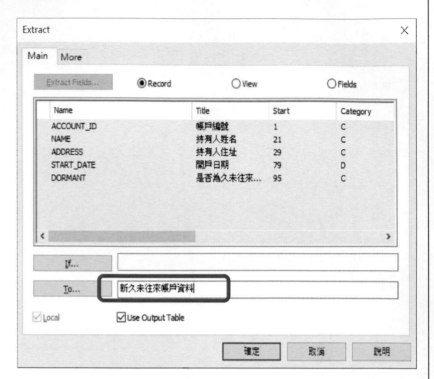

分析資料 – Extract結果

共6,090筆資料

情境一 Step4：比對新久未往來帳戶與現有久未往來帳戶資料，列出差異之帳戶資料檔流程圖

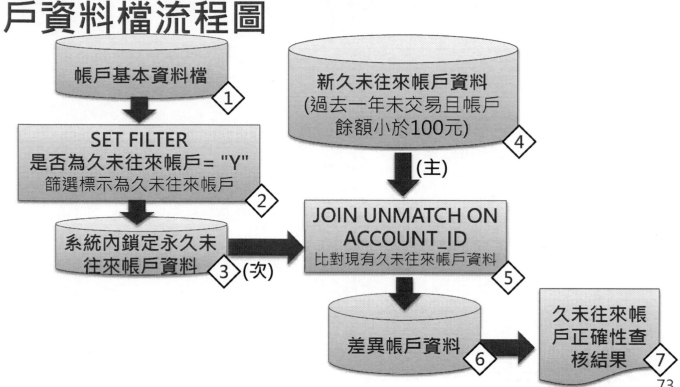

73

分析資料 – Filter

- 開啟帳戶基本資料檔
- 點擊 📈
- 輸入篩選條件
- 點選Verify驗證篩選條件是否正確
- 點選" OK" 完成

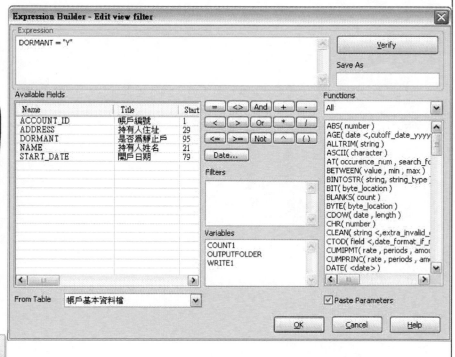

DORMANT = "Y"

74

分析資料 – Filter結果

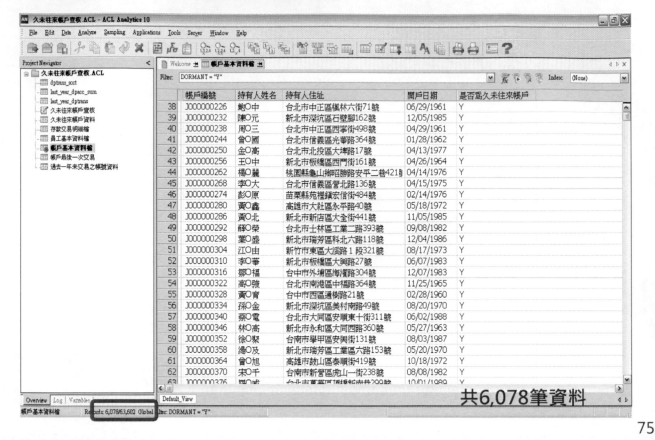

共6,078筆資料

分析資料 – Extract

- 在顯示篩選結果視窗
- Data→Extract Data
- 選擇Record，列出所有紀錄
- 檔名為 "系統內鎖定永久未往來帳戶"
- 點選"確定"完成

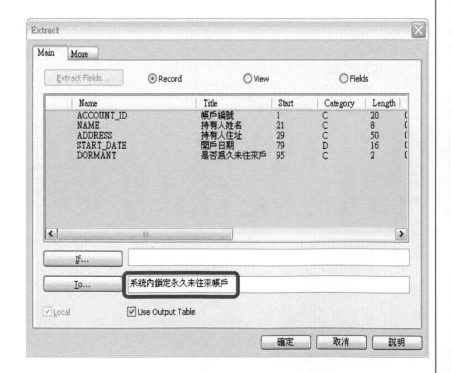

分析資料 – Extract結果

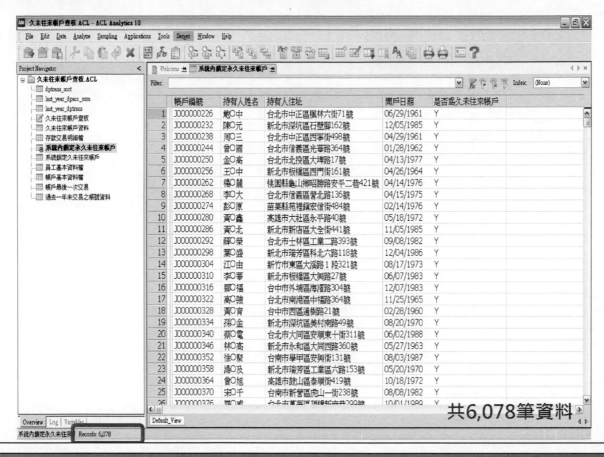

共6,078筆資料

分析資料 – Join

- 開啟久未往來帳戶資料
- Data→Join Table
- Secondary Table選取"系統內鎖定永久未往來帳戶資料"
- 以**帳戶編號**為兩表之關聯鍵
- 將主表所有欄位勾選列出
- Join Types 選擇 Unmatched Primary
- 輸入檔名為"差異帳戶資料 "
- 點擊「確定」

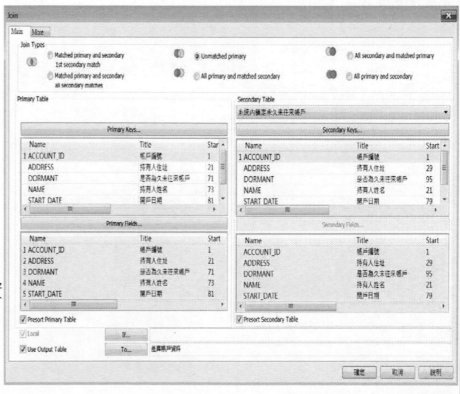

分析資料－Join結果畫面

共23筆資料

情境二：久未往來帳戶交易活動查核稽核流程圖

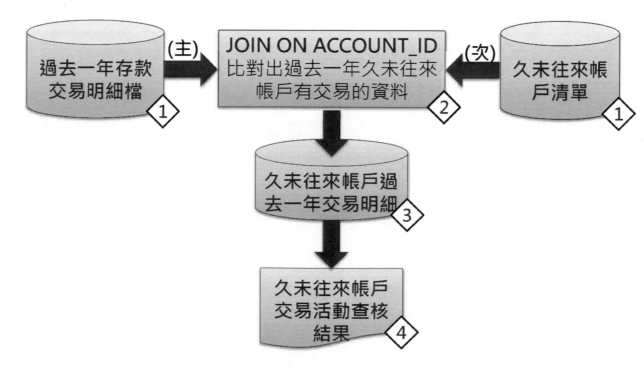

分析資料 – Join

- 開啟過去一年存款交易明細檔
- Data→Join Table
- Secondary Table選取"久未往來帳戶清單"
- 以**帳戶編號**為兩表之關聯鍵
- 將主表所有欄位勾選列出
- 將次表持有人姓名與是否為久未往來帳戶勾選列出
- Join Types 選擇 Matched Primary and secondary
- 輸入檔名為"久未往來帳戶過去一年交易明細 "
- 點擊「確定」

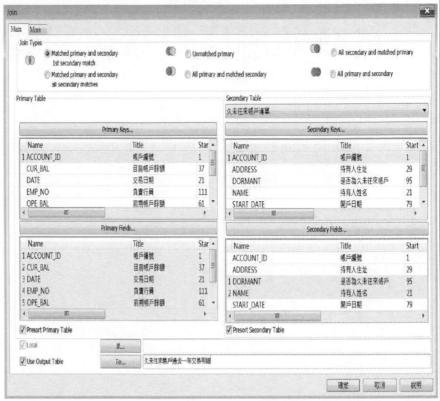

分析資料 – Join結果畫面

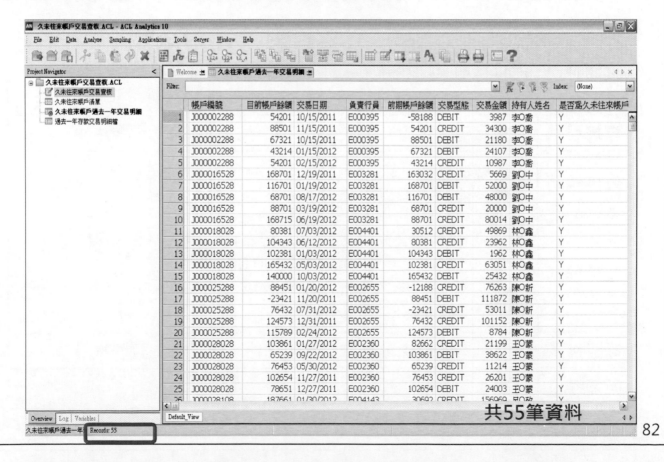

共55筆資料

ACL實例演練二:
洗錢防制與行員盜用查核

專案規劃(洗錢防制與行員盜用查核)

查核項目	銀行帳戶管理作業	存放檔名	行員盜用進階查核
查核目標	查核確認是否有疑似久未往來帳戶之高風險活動發生。		
查核說明	針對疑似久未往來帳戶之高風險交易活動紀錄進行查核,檢核是否有須深入追查之久未往來帳戶交易紀錄。		
查核程式	(1)**高風險疑似久未往來帳戶洗錢查核** – 過去一年交易次數小於4次,但交易總金額大於300,000元。 (2)**行員疑似盜用久未往來帳戶查核** – 列出一個月內處理久未往來帳戶交易超過8次的行員。		
資料檔案	帳戶基本資料檔、存款交易明細檔、員工基本資料檔		
所需欄位	請詳後附件明細表		

Jacksoft Commerce Automation Ltd.

Copyright © 2019 JACKSOFT.

情境三：高風險疑似久未往來帳戶洗錢查核

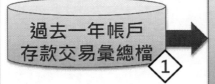
過去一年帳戶
存款交易彙總檔 ①

→

SET FILTER COUNT < 4 AND
TRANS_VALUE > 300,000
篩選交易少於4次 且
總金額高於300,000元的帳戶 ②

→

EXTRACT
疑似久未往來
帳戶交易資料 ③

(主)

帳戶基本
資料檔 ③

(次) →

RELATION TABLE ON
ACCOUNT_ID
利用帳戶編號勾稽帳戶基本資
料檔 代入帳戶持有人姓名 ④

↓

疑似久未往來帳
戶交易查核結果 ⑤

Jacksoft Commerce Automation Ltd.

Copyright © 2019 JACKSOFT.

分析資料 – Filter

- 開啟過去一年帳戶存款交易彙總檔
- 點擊 🔎
- 輸入**篩選條件**
- 點選Verify驗證篩選條件是否正確
- 點選" OK" 完成

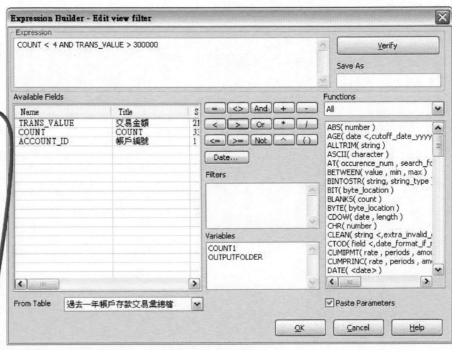

COUNT < 4 AND TRANS_VALUE > 300000

分析資料 – Filter結果

分析資料 – Extract

- 在顯示篩選結果視窗
- Data→Extract Data
- 選擇Record，列出所有紀錄
- 檔名為"疑似久未往來交易資料"
- 點選"確定"完成

分析資料 – Extract結果

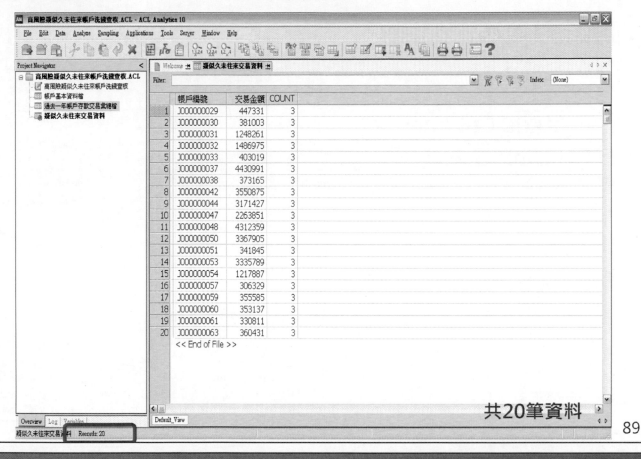

共20筆資料

分析資料 – Relation

- 開啟疑似久未往來交易資料
- Data→Relate Tables
- 點選Add Table加入 "帳戶基本資料檔"
- 建立兩表的關聯鍵 "帳戶編號 (ACCOUNT_ID)"
- 點選「Finish」

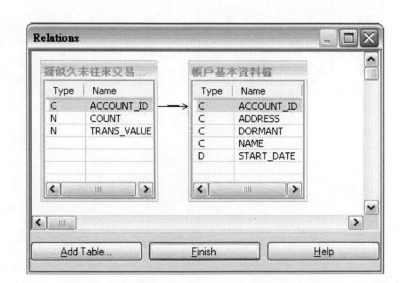

分析資料 – Relation

- 開啟疑似久未往來帳戶交易資料
- 在空白處點擊滑鼠右鍵，選擇Add Columns
- From Table 選取帳戶基本資料檔
- 加入持有人姓名(NAME)
- 點選「OK」

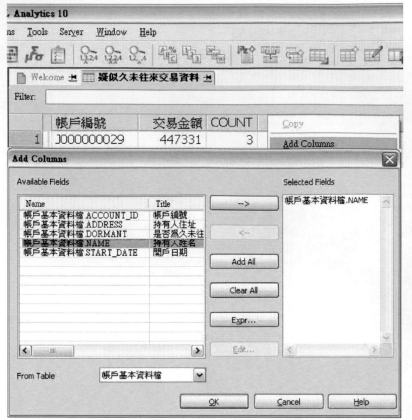

91

分析資料 – Relation

高風險疑似久未往來帳戶洗錢查核.ACL - ACL Analytics 10

File　Edit　Data　Analyze　Sampling　Applications　Tools　Server　Window　Help

Project Navigator
- 高風險疑似久未往來帳戶洗錢查核.ACL
  - 高風險疑似久未往來帳戶洗錢查核
  - 帳戶基本資料檔
  - 過去一年帳戶存款交易彙總檔
  - 疑似久未往來交易資料

Welcome　疑似久未往來交易資料

Filter:

	帳戶編號	交易金額	COUNT	持有人姓名
1	J000000029	447331	3	陳O璟
2	J000000030	381003	3	蔡O潤
3	J000000031	1248261	3	黃O佶
4	J000000032	1486975	3	王O豐
5	J000000033	403019	3	黃O中
6	J000000037	4430991	3	稽O宏
7	J000000038	373165	3	林O環
8	J000000042	3550875	3	李O振
9	J000000044	3171427	3	林O遠
10	J000000047	2263851	3	彭O美
11	J000000048	4312359	3	李O鑽
12	J000000050	3367905	3	林O生
13	J000000051	341845	3	吳O曜
14	J000000053	3335789	3	李O燁
15	J000000054	1217887	3	吳O嵗
16	J000000057	306329	3	張O大
17	J000000059	355585	3	劉O保
18	J000000060	353137	3	李O佳
19	J000000061	330811	3	潘O中
20	J000000063	360431	3	吳O正

<< End of File >>

Overview　Log　Variables
Default_View
疑似久未往來交易資料　Records: 20

92

個案練習

- 請進行高風險疑似久未往來帳戶洗錢查核,查核條件為過去一年交易次數小於5次,但交易總金額大於3,000,000元?

ANS:6筆

情境四:行員疑似盜用久未往來帳戶查核主要稽核步驟

Step 1:產生上月(9月)久未往來帳戶資料檔

Step 2:產生本月(10月)非久未往來帳戶資料檔

Step 3:比對本月(10月)非久未往來帳戶資料亦是上月(9月)久未往來帳戶資料,列出本月(10月)新異動為非久未往來帳戶的帳戶資料

Step 4:比對本月(10月)新異動為非久未往來帳戶的帳戶資料與其帳戶10月交易明細檔

Step 5:彙總這些交易資料,列出處理人員相同大於等於8次者

情境四：行員疑似盜用久未往來帳戶查核主要稽核步驟流程圖

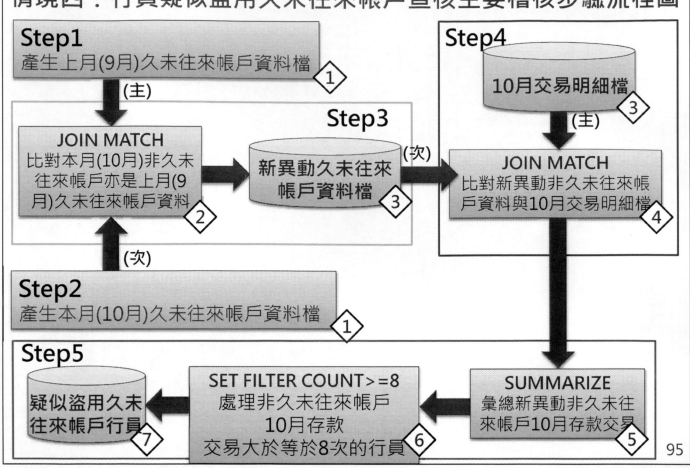

Step1
產生上月(9月)久未往來帳戶資料檔　①

(主)

JOIN MATCH
比對本月(10月)非久未往來帳戶亦是上月(9月)久未往來帳戶資料　②

Step3
新異動久未往來帳戶資料檔　③

(次)

Step4
10月交易明細檔　③

(主)

JOIN MATCH
比對新異動非久未往來帳戶資料與10月交易明細檔　④

(次)

Step2
產生本月(10月)久未往來帳戶資料檔　①

Step5
疑似盜用久未往來帳戶行員　⑦

SET FILTER COUNT>=8
處理非久未往來帳戶10月存款交易大於等於8次的行員　⑥

SUMMARIZE
彙總新異動非久未往來帳戶10月存款交易　⑤

95

情境四 Step1：產生上月(9月)久未往來帳戶資料檔流程圖(1)

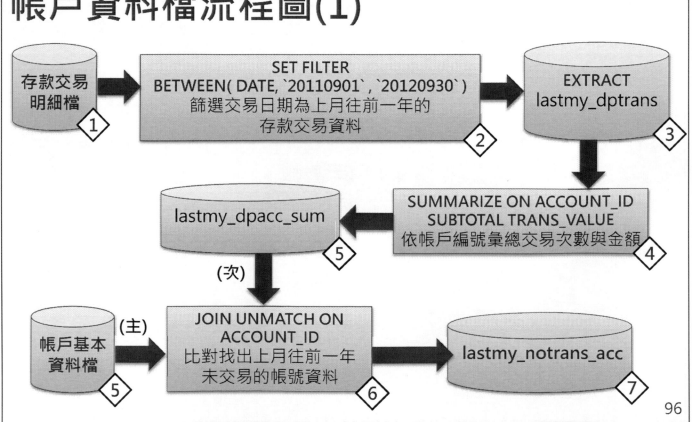

存款交易明細檔　①

SET FILTER
BETWEEN(DATE, `20110901`, `20120930`)
篩選交易日期為上月往前一年的存款交易資料　②

EXTRACT
lastmy_dptrans　③

SUMMARIZE ON ACCOUNT_ID
SUBTOTAL TRANS_VALUE
依帳戶編號彙總交易次數與金額　④

lastmy_dpacc_sum　⑤

(次)

帳戶基本資料檔　⑤

(主)

JOIN UNMATCH ON ACCOUNT_ID
比對找出上月往前一年未交易的帳號資料　⑥

lastmy_notrans_acc　⑦

96

分析資料 – Filter

- 開啟存款交易明細檔
- 點擊 🔎
- 輸入篩選條件
- 點選Verify驗證篩選條件是否正確
- 點選" OK" 完成

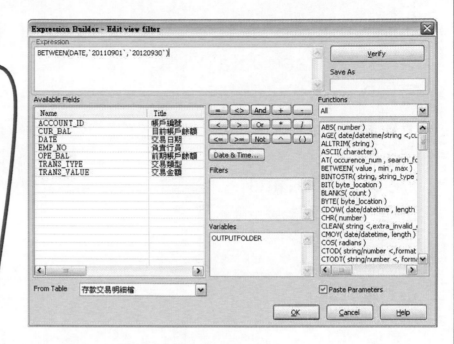

BETWEEN(DATE, `20110901`, `20120930`)

分析資料 – Filter結果

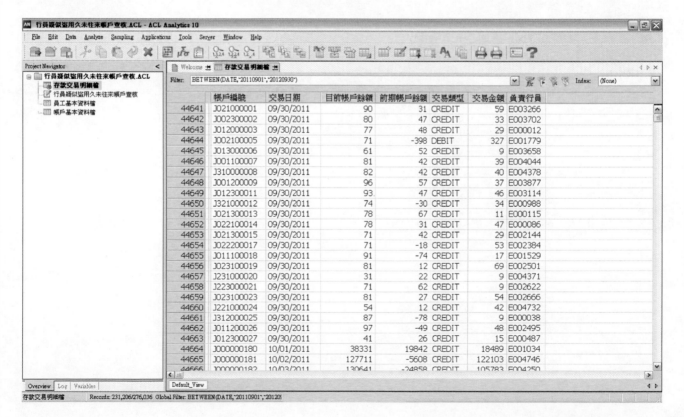

分析資料 – Extract

- 在顯示篩選結果視窗
- Data→Extract Data
- 選擇Record，列出所有紀錄
- 檔名為 "lastmy_dptrans"
- 點選"確定"完成

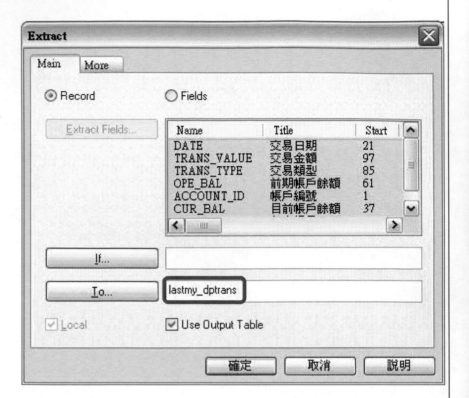

分析資料 – Extract結果

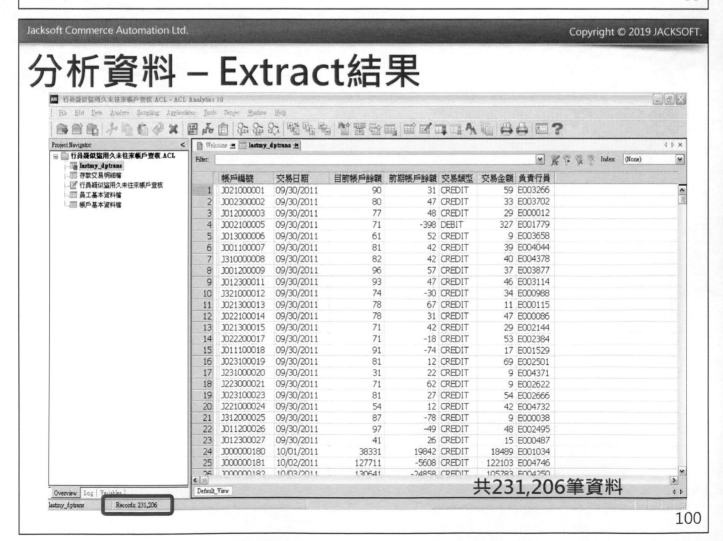

共231,206筆資料

分析資料 – Summarize

- 開啟lastmy_dptrans
- 點擊
  Analyze →Summarize
- 依據帳戶編號進行彙總
- 加總交易金額
- Output選擇File
- 檔名輸入
  "lastmy_dpacc_sum"
- 點選"確定"完成

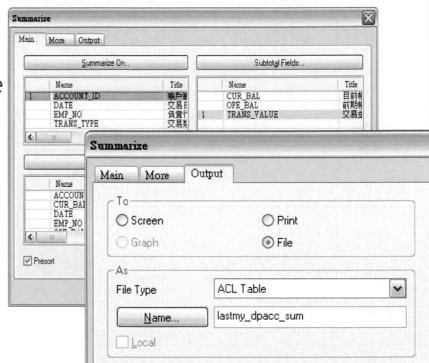

101

分析資料 – Summarize結果

共46,302筆資料

102

分析資料 – Join

- 開啟帳戶基本資料檔
- Data→Join Table
- Secondary Table選取 lastmy_dpacc_sum
- 以**帳戶編號**為兩表之關聯鍵
- 將主表所有欄位勾選列出
- Join Types 選擇 Unmatched Primar
- 輸入檔名為 lastmy_notrans_acc
- 點擊「確定」

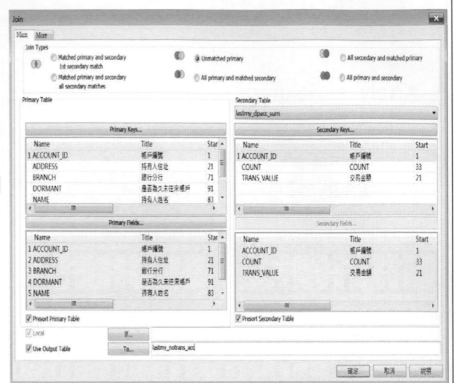

103

分析資料 – Join結果畫面

共17,256筆資料

104

情境四 Step1：產生上月(9月)久未往來帳戶資料檔流程圖(2)

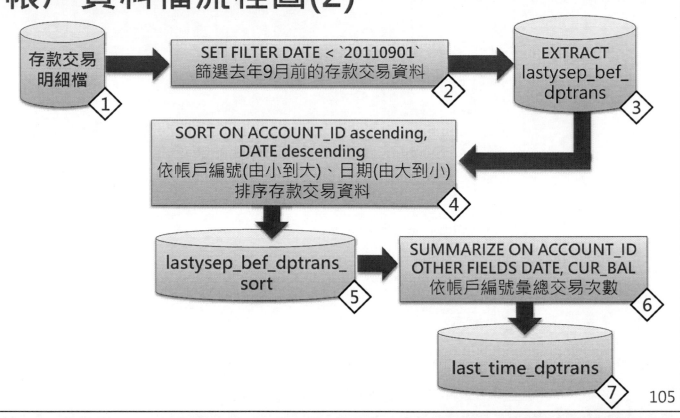

105

分析資料 – Filter

- 開啟存款交易明細檔
- 點擊 🔍
- 輸入篩選條件
- 點選Verify驗證篩選條件是否正確
- 點選" OK" 完成

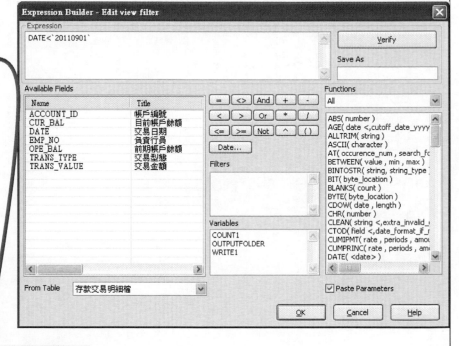

106

分析資料 – Filter結果

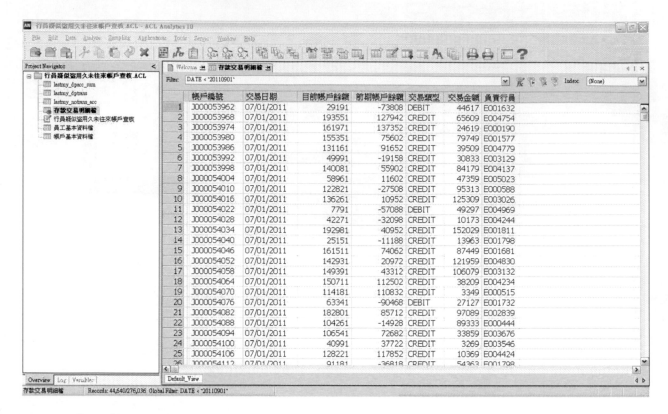

分析資料 – Extract

- 在顯示篩選結果視窗
- Data→Extract Data
- 選擇Record，列出所有紀錄
- 檔名為 lastysep_bef_dptrans
- 點選"確定"完成

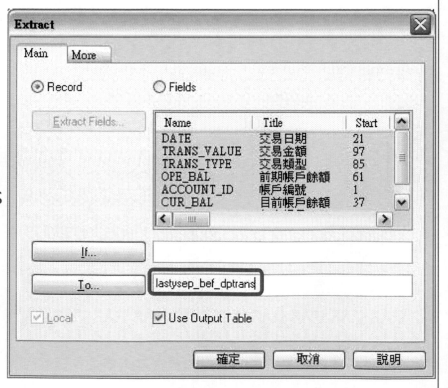

分析資料 – Extract結果

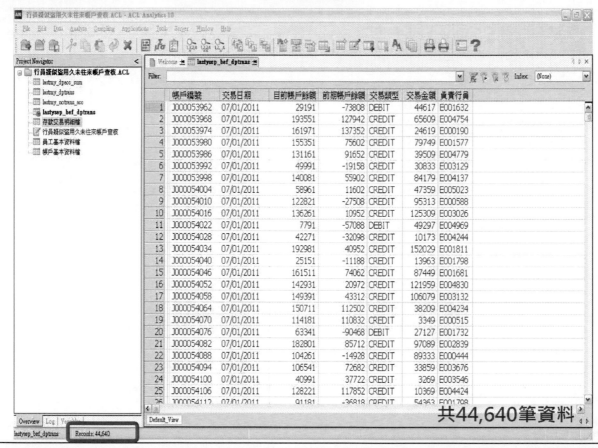

共44,640筆資料

109

分析資料 – Sort

- 開啟
  lastysep_bef_dptrans
- 點擊
  Data→Sort Resords
- 點擊Sort on，選擇
  帳戶編號小→大排序；
  交易日期大→小排序
- 點選OK
- 檔名輸入
  lastysep_bef_dptrans_
  sort
- 點選"確定"完成

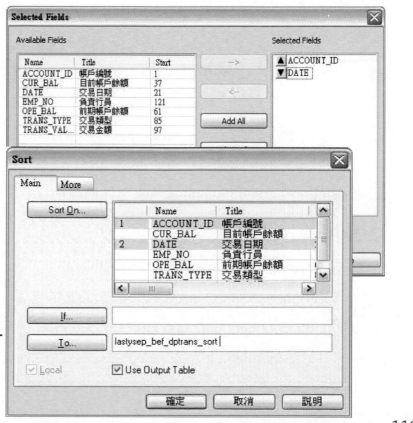

110

分析資料 – Sort結果

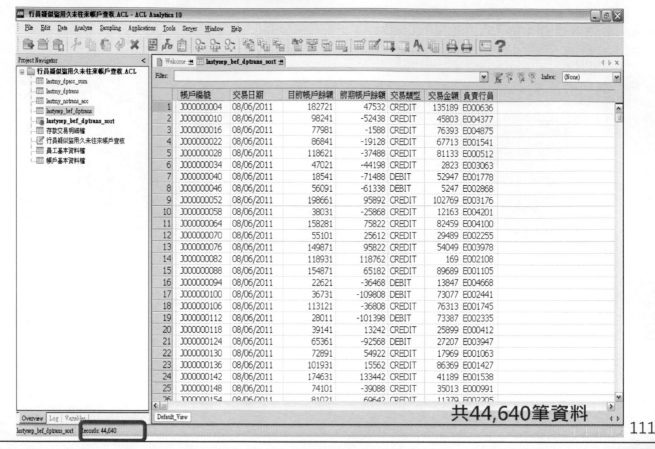

共44,640筆資料

111

分析資料 – Summarize

- 開啟
  lastysep_bef_dptrans_
  sort
- 點擊
  Analyze →Summarize
- 依據 帳戶編號進行彙總
- Other Fields 選擇交易
  日期、目前帳戶餘額
- Output選擇File
- 檔名輸入
  "last_time_dptrans"
- 點選"確定"完成

112

分析資料 – Summarize結果

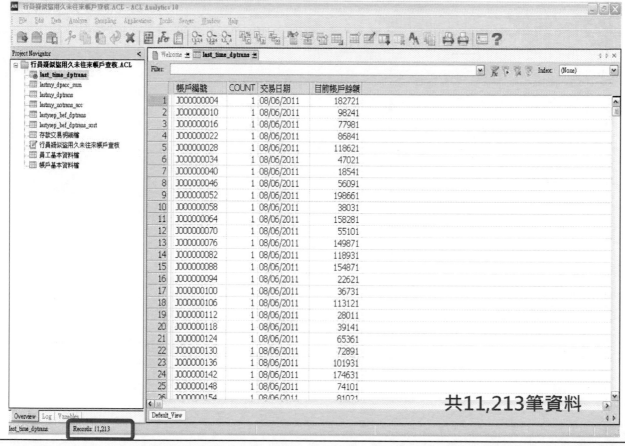

共11,213筆資料

113

情境四 Step1：產生上月(9月)久未往來帳戶資料檔流程圖(3)

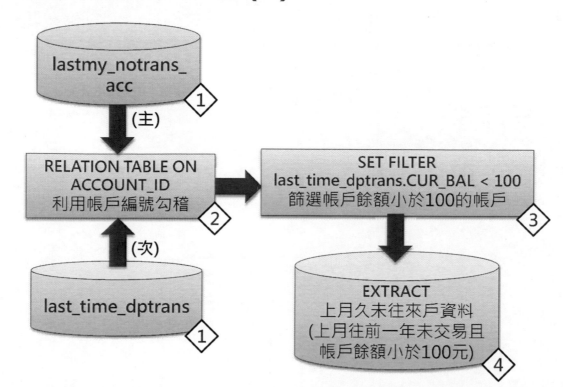

114

分析資料 – Relation

- 開啟
  lastmy_notrans_acc
- Data→Relate Tables
- 點選Add Table加入
  " last_time_dptrans"
- 建立兩表的關聯鍵
  "帳戶編號
  (ACCOUNT_ID) "
- 點選「Finish」

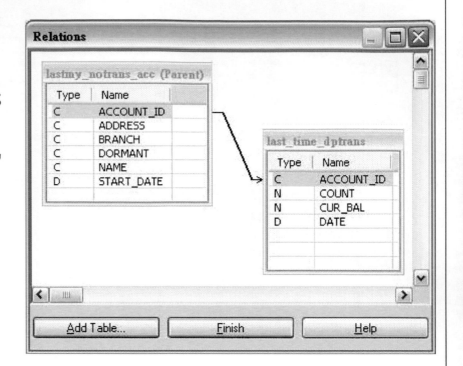

115

分析資料 – Filter

- 開啟
  lastmy_notrans_acc
- 點擊 🏫
- 輸入**篩選條件**
- 點選Verify驗證篩選
  條件是否正確
- 點選" OK" 完成

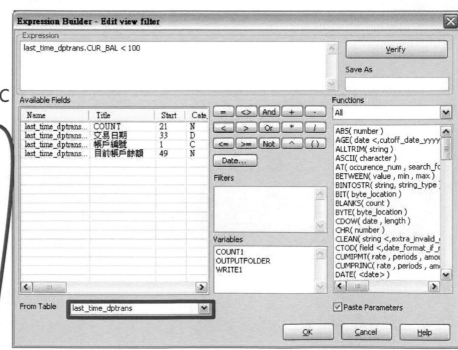

last_time_dptrans.CUR_BAL < 100

116

分析資料 – Filter結果

共6,067筆資料

117

分析資料 – Extract

- 在顯示篩選結果視窗
- Data→Extract Data
- 選擇Record，列出所有紀錄
- 檔名為"上月久未往來帳戶資料"
- 點選"確定"完成

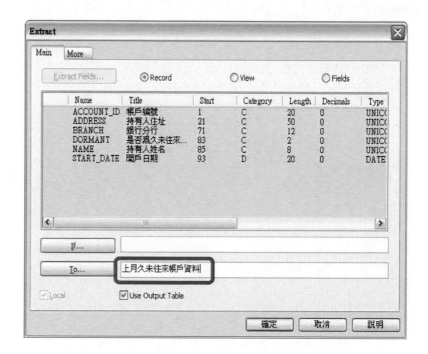

118

分析資料 – Extract結果

共6,067筆資料

情境四 Step2：產生本月(10月)非久未往來帳戶資料檔流程圖

分析資料 – Filter

- 開啟帳戶基本資料檔
- 點擊 🔧
- 輸入篩選條件
- 點選Verify驗證篩選
  條件是否正確
- 點選" OK" 完成

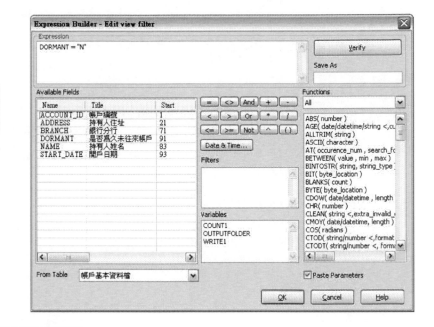

DORMANT = "N"

121

分析資料 – Filter結果

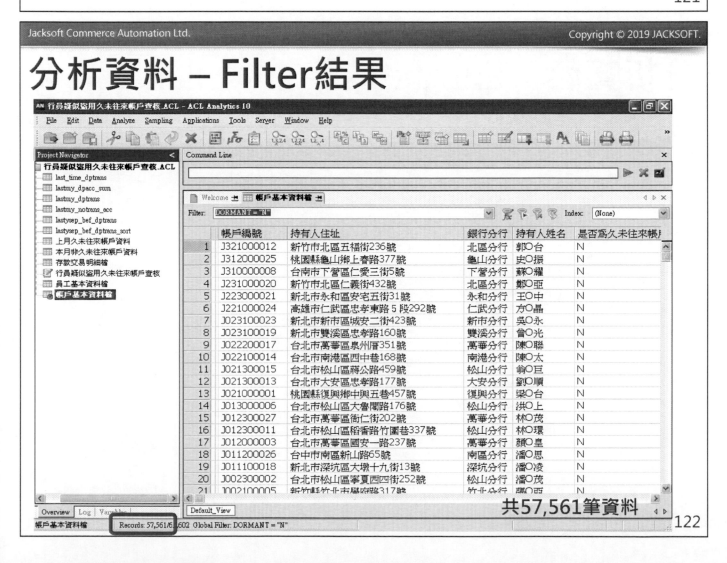

共57,561筆資料

122

分析資料 – Extract

- 在顯示篩選結果視窗
- Data→Extract Data
- 選擇Record，列出所有紀錄
- 檔名為"本月非久未往來帳戶資料"
- 點選"確定"完成

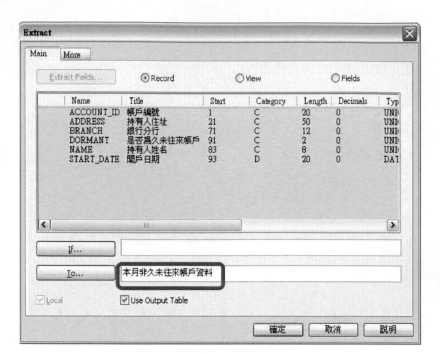

123

分析資料 – Extract結果

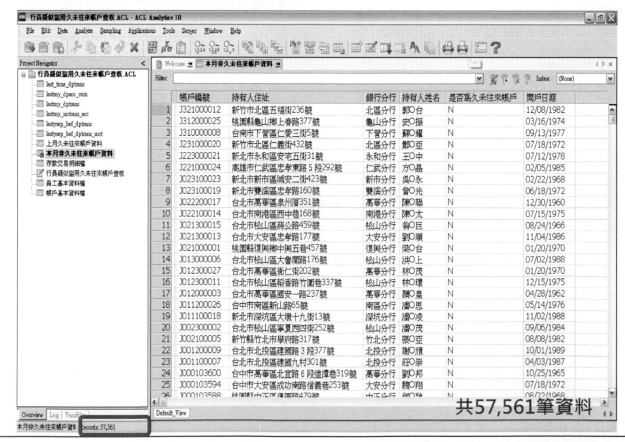

共57,561筆資料

124

情境四 Step3： 比對本月(10月)非久未往來帳戶資料亦是上月(9月)久未往來帳戶資料，列出本月(10月)新異動為非久未往來帳戶的帳戶資料流程圖

125

分析資料 – Join

- 開啟上月久未往來帳戶資料
- Data→Join Table
- Secondary Table選取"本月非久未往來帳戶資料"
- 以**帳戶編號**為兩表之關聯鍵
- 將主表所有欄位勾選列出
- Join Types 選擇 Matched Primary and secondary
- 輸入檔名為"新異動非久未往來帳戶資料 "
- 點擊「確定」

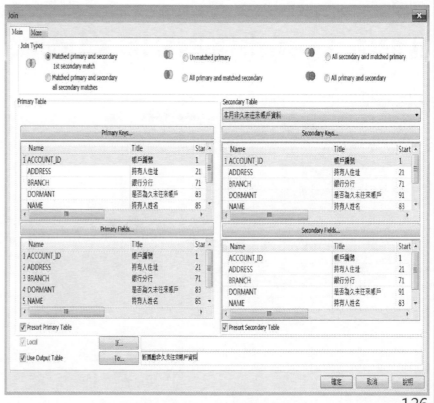

126

分析資料－Join結果畫面

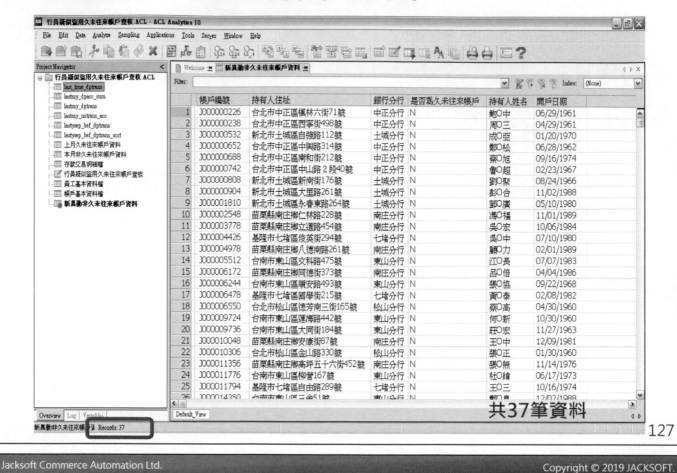

共37筆資料

127

情境四 Step4：比對本月(10月)新異動為非久未往來帳戶的帳戶資料與其帳戶10月交易明細檔流程圖

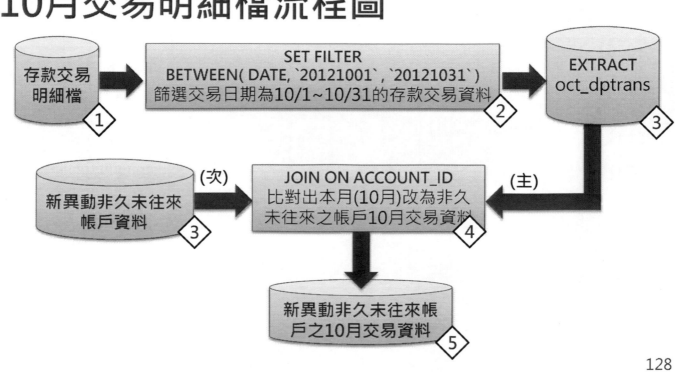

128

分析資料 – Filter

- 開啟存款交易明細檔
- 點擊 🎇
- 輸入篩選條件
- 點選Verify驗證篩選條件是否正確
- 點選" OK" 完成

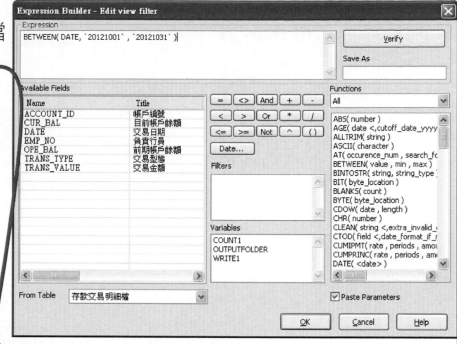

BETWEEN(DATE, `20121001`, `20121031`)

129

分析資料 – Filter結果

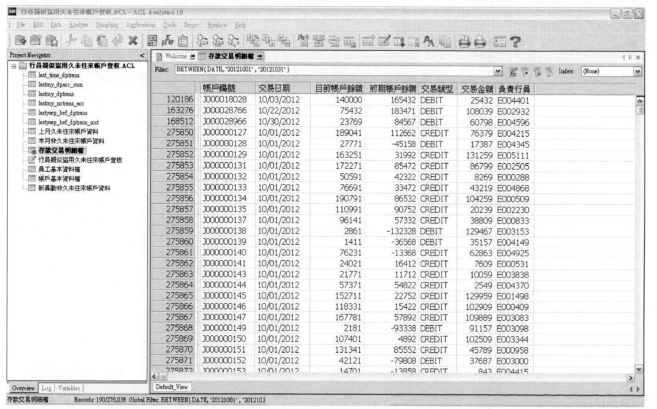

130

分析資料 – Extract

- 在顯示篩選結果視窗
- Data→Extract Data
- 選擇Record，列出所有紀錄
- 檔名為"oct_dptrans"
- 點選"確定"完成

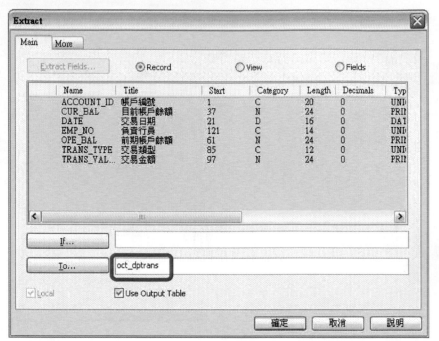

131

分析資料 – Extract結果

共190筆資料

132

分析資料 – Join

- 開啟oct_dptrans
- Data→Join Table
- Secondary Table選取" 新異動非久未往來帳戶 資料"
- 以**帳戶編號**為兩表之關 聯鍵
- 將主表所有欄位勾選列 出
- Join Types 選擇 Matched Primary and secondary
- 輸入檔名為"新異動非久 未往來帳戶之10月交易 資料 "
- 點擊「確定」

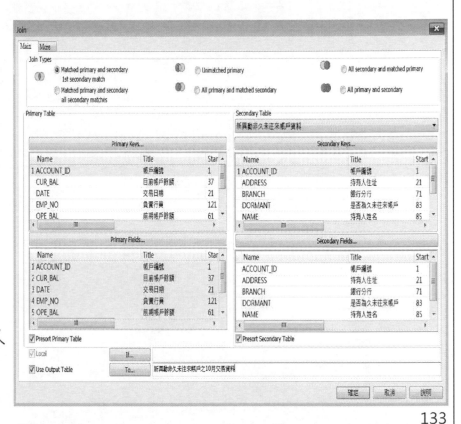

分析資料 – Join結果畫面

共37筆資料

情境四 Step 5：彙總這些交易資料，列出處理人員相同大於等於8次者流程圖

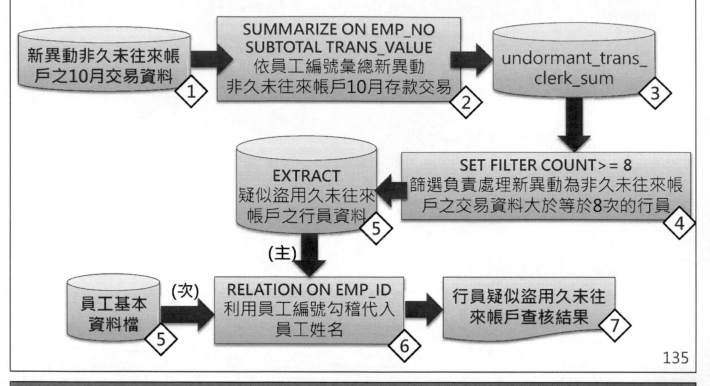

新異動非久未往來帳戶之10月交易資料 ①

→

SUMMARIZE ON EMP_NO SUBTOTAL TRANS_VALUE 依員工編號彙總新異動非久未往來帳戶10月存款交易 ②

→

undormant_trans_clerk_sum ③

↓

SET FILTER COUNT>= 8 篩選負責處理新異動為非久未往來帳戶之交易資料大於等於8次的行員 ④

←

EXTRACT 疑似盜用久未往來帳戶之行員資料 ⑤

(主) ↓

員工基本資料檔 ⑤ —(次)→ **RELATION ON EMP_ID** 利用員工編號勾稽代入員工姓名 ⑥ → 行員疑似盜用久未往來帳戶查核結果 ⑦

135

分析資料 – Summarize

- 開啟新異動非久未往來帳戶之10月交易資料
- 點擊
  Analyze →Summarize
- 依據員工編號進行彙總
- 加總交易金額
- Output選擇File
- 檔名輸入
  undormant_trans_clerk
  _sum
- 點選"確定"完成

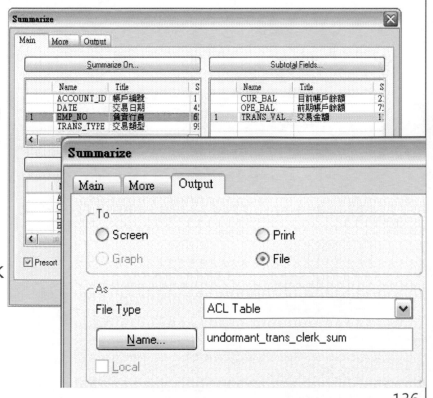

136

分析資料 – Summarize結果

共12筆資料

137

分析資料 – Filter

- 開啟 undormant_trans_clerk_sum
- 點擊 𝒇𝒙
- 輸入篩選條件
- 點選Verify驗證篩選條件是否正確
- 點選" OK" 完成

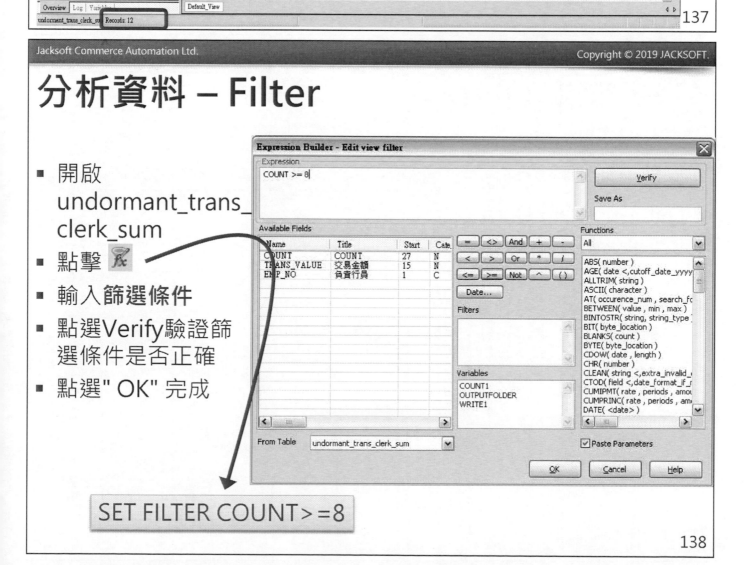

SET FILTER COUNT>=8

138

分析資料 – Filter結果

139

分析資料 – Extract

- 在顯示篩選結果視窗
- Data→Extract Data
- 選擇Record，列出所有紀錄
- 檔名為"疑似盜用久未往來帳戶之行員資料"
- 點選"確定"完成

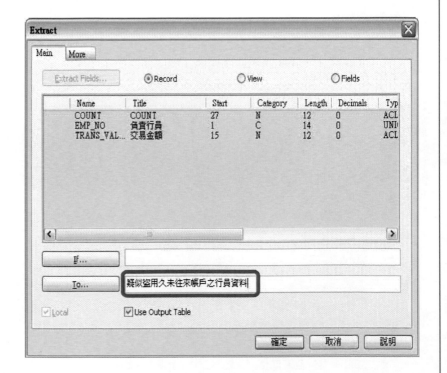

140

分析資料 – Extract結果

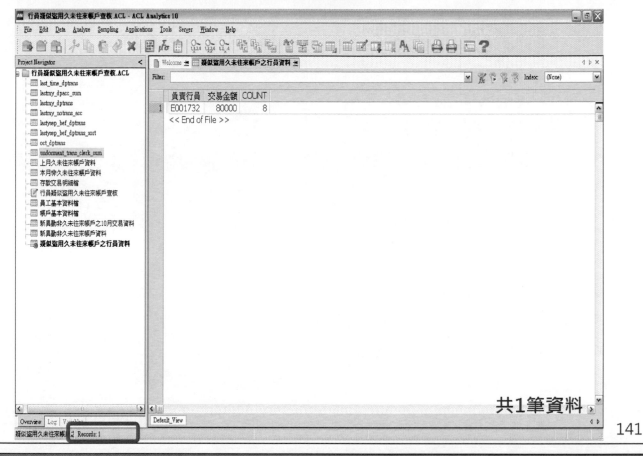

分析資料 – Relation

- 開啟疑似盜用久未往來帳戶之行員資料
- Data→Relate Tables
- 點選Add Table加入 "員工基本資料檔"
- 建立兩表的關聯鍵 "員工編號(EMP_ID) "
- 點選「Finish」

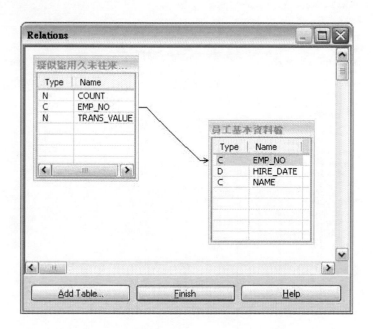

分析資料 – Relation

- 開啟疑似盜用久未往來帳戶之行員資料
- 在空白處點擊滑鼠右鍵，選擇Add Columns
- From Table 選取員工基本資料檔
- 加入員工姓名(NAME)
- 點選「OK」

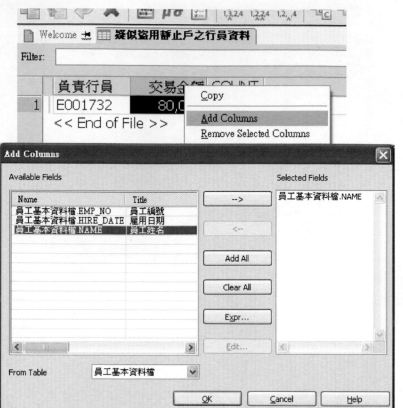

143

分析資料 – Relation結果

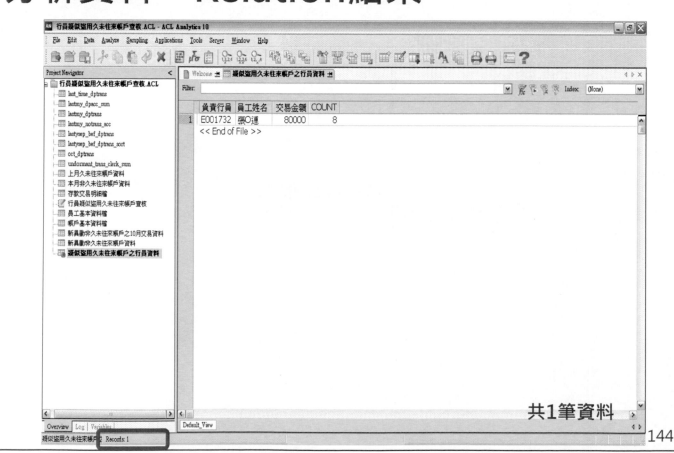

共1筆資料

144

如何有效建構風險導向內部稽核?

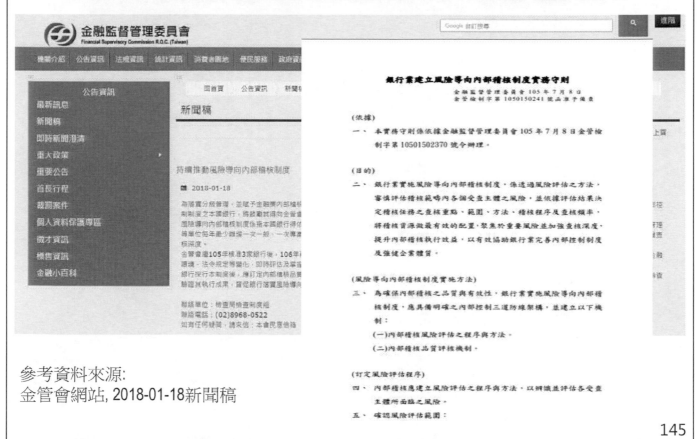

參考資料來源:
金管會網站, 2018-01-18新聞稿

久未往來帳戶查核持續性
電腦稽核專案

由專案稽核邁向持續性稽核

- 本質上的勘查與調查
- 找出證據證明結論與提出建議

- 從多重資料來源定期進行分析作業
- 改善查核效率、一致性、與品質

- 對主要營業循環進行線上持續性稽核與監控
- 對任何不正常趨勢、型態、以及例外情形及時通報
- 支援風險評估和促使組織運行更有效率

專案性分析-
- ✓ 專案分析審查
- ✓ 在特定時間進行
- ✓ 以產生查核報告為目的

重複性分析
- ✓ 管理例行性分析作業
- ✓ 由資料分析專家產生
- ✓ 在集中安全的環境中使用，可讓所有部門同仁運用

持續性分析
- ✓ 持續地進行自動化稽核測試作業,辨識出他們所發生的錯誤、異常資料、不正常型態、及例外資料

147

如何建立ACL專案持續稽核

➤ ACL可以從頭到尾管理你的資料分析專案。

➤ 專案規劃方法採用六個階段：

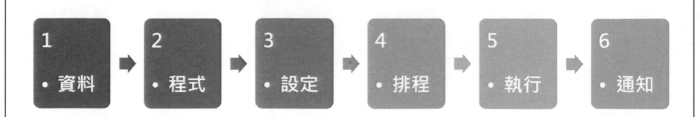

1. 資料 → 2. 程式 → 3. 設定 → 4. 排程 → 5. 執行 → 6. 通知

▲稽核自動化：

電腦稽核主機 – 一天可以工作24 小時

148

程式-複製Log 成為SCRIPT程式

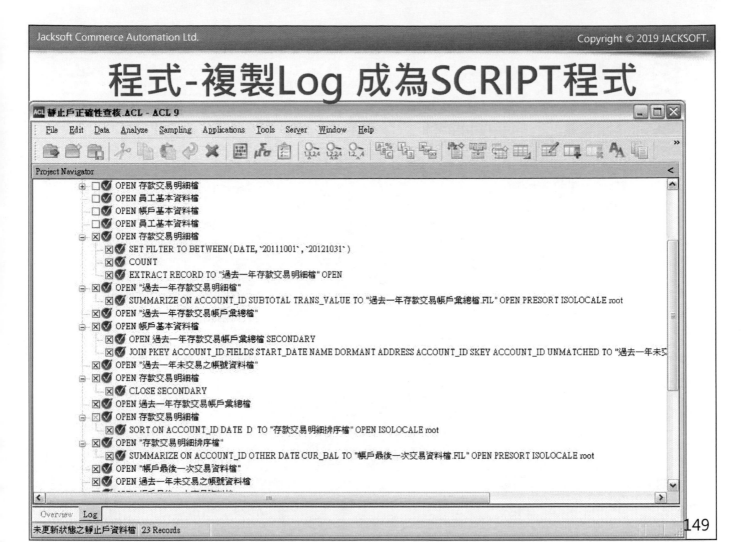

149

編輯SCRIPT
-Step1：資料匯入環境設定

- COM STEP1：資料匯入環境設定
- SET SAFETY OFF
- DELETE FORMAT 存款交易明細檔 OK
- DELETE 存款交易明細.Fil OK
- DELETE FORMAT員工基本資料檔 OK
- DELETE 員工基本資料檔.Fil OK
- DELETE FORMAT 帳戶基本資料檔 OK
- DELETE 帳戶基本資料檔.Fil OK

150

提高稽核效率—持續性稽核/監控平台

開發稽核自動化元件   經濟部發明專利第I380230號   稽核結果E-mail 通知

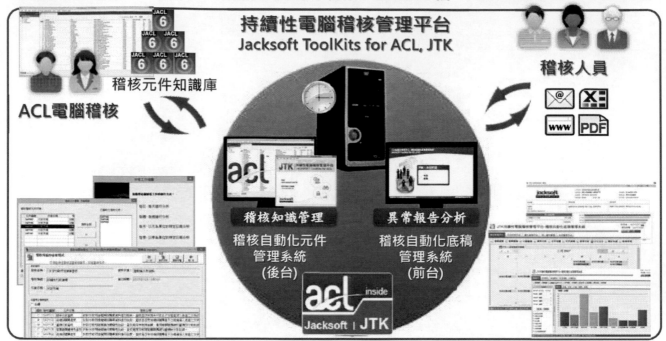

稽核元件知識庫

ACL電腦稽核

持續性電腦稽核管理平台
Jacksoft ToolKits for ACL, JTK

稽核人員

稽核知識管理
稽核自動化元件
管理系統
(後台)

異常報告分析
稽核自動化底稿
管理系統
(前台)

稽核自動化元件管理   稽核自動化底稿管理與分享

■稽核自動化：
電腦稽核主機一天24小時一周七天的為我們工作。

JTK | **Jacksoft ToolKits for ACL**
The continuous auditing platform

151

建置持續性稽核APP的基本要件

- 將手動操作分析改為自動化稽核
  - 將專案查核過程轉為ACL Script
  - 確認資料下載方式及資料存放路徑
  - ACL Script修改與測試
  - 設定排程時間自動執行

- 使用持續性稽核平台
  - 包裝元件
  - 掛載於平台
  - 設定執行頻率

152

多層級風險矩陣設定

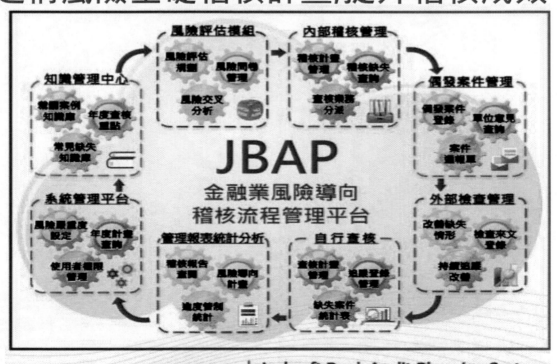

科學化風險評估分析,
建構風險基礎稽核計畫,提升稽核成效

153

154

深化高風險項目查核, 有效落實內控三道防線

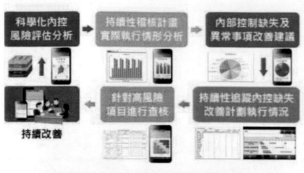

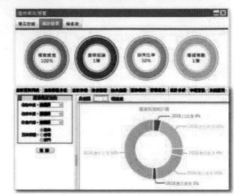

歡迎加入 ICAEA Line 群組
~免費取得更多電腦稽核
應用學習資訊~

「法遵科技」與「電腦稽核」專家

傑克商業自動化股份有限公司　台北市大同區長安西路180號3F之2(基泰商業大樓) 知識網:www.acl.com.tw
TEL:(02)2555-7886　FAX:(02)2555-5426　E-mail:acl@jacksoft.com.tw

JACKSOFT為台灣唯一通過經濟部能量登錄與ACL原廠雙重技術認證「電腦稽核」專業輔導機構·技術服務品質有保障

參考文獻

1. 黃士銘，2015，ACL 資料分析與電腦稽核教戰手冊(第四版)，全華圖書股份有限公司出版，ISBN 9789572196809.

2. 黃士銘、嚴紀中、阮金聲等著(2013)，電腦稽核－理論與實務應用(第二版)，全華科技圖書股份有限公司出版。

3. 黃士銘、黃秀鳳、周玲儀，2013，海量資料時代，稽核資料倉儲建立與應用新挑戰，會計研究月刊，第 337 期，124-129 頁。

4. 黃士銘、周玲儀、黃秀鳳，2013，"稽核自動化的發展趨勢"，會計研究月刊，第 326 期。

5. 黃秀鳳，2011，JOIN 資料比對分析-查核未授權之假交易分析活動報導，稽核自動化第 013 期，ISSN:2075-0315。

6. 蘋果日報，2005 年，"國泰世華女行員盜領八千萬"
    http://www.appledaily.com.tw/appledaily/article/headline/20050108/1500697/

7. 中華電視公司，2015 年，"行員挪用客戶資金　金管會開鍘　中信銀挨罰 300 萬"
    http://news.cts.com.tw/nownews/money/201508/201508271653465.html

8. 東森新聞雲，2013 年，"行員涉勾結代辦信貸公司　金管會重罰大眾銀 400 萬"
    http://www.ettoday.net/news/20131003/278030.htm

9. 卡優新聞網，2010 年，"四大銀行違規遭罰　金管會開鍘 1200 萬"
    http://www.cardu.com.tw/news/detail.php?nt_pk=7&ns_pk=10324

10. 蘋果日報，2015 年，"股災賠錢動歪念 彰銀行員監守自盜 700 萬"
    http://www.appledaily.com.tw/appledaily/article/finance/20150830/36749834/

11. 蘋果即時，2015 年，"台中商銀監守自盜　襄理挪客戶定存 1576 萬"
    http://www.appledaily.com.tw/realtimenews/article/new/20150908/687071/

12. TVBS 新聞，2015 年，"金庫當提款機！　富邦銀行出納 A 走 1600 萬"
    http://news.tvbs.com.tw/local/news-627392/

13. 中國時報，2016 年，"日盛銀職員盜領 1.5 億 存戶告詐欺"
    https://www.chinatimes.com/newspapers/20160628000663-260107

14. 民視新聞，2016 年，"日盛銀爆盜領 存戶要求銀行負責"
    https://www.youtube.com/watch?v=E_D6lt8u22U

15. Association of Certified Fraud Examiners, Inc.，2014，"2014 Report to the Nations on Occupational Fraud and Abuse."

16. 金融監督管理委員會，2016，"銀行業建立風險導向內部稽核制度實務守則"

17. ACL，2018 年，"Bribery and corruption: The essential guide to managing risks"
    https://acl.software/ebook/bribery-corruption-essential-guide-managing-risks/

18. ACL，2017 年，"Are data robots coming to replace the auditors?"
https://acl.software/are-data-robots-coming-to-replace-the-auditors/

19. 植根法律網，2016，"中華民國銀行公會金融機構開戶作業審核程序暨異常帳戶風險控管之作業 範本"
http://www.rootlaw.com.tw/LawArticle.aspx?LawID=A040390041043800-1050219

20. 金融監督管理委員會，2014，"存款帳戶及其疑似不法或顯屬異常交易管理辦法"
https://www.fsc.gov.tw/ch/home.jsp?id=128&parentpath=0,3&mcustomize=lawnew_view.jsp&dataserno=201408200001&toolsflag=Y&dtable=NewsLaw

21. Galvanize
https://www.wegalvanize.com/

22. ONE WORLD IDENTITY，2017 年，"As Wells Fargo reveals 1.4M more fraudulent accounts, companies must also eye internal threats"
https://oneworldidentity.com/wells-fargo-reveals-1-4m-fraudulent-accounts-trust-safety-teams-must-consider-internal-threats/

23. News.com.au，2018 年，"Commonwealth Bank's Dollarmite scam exposed"
https://www.news.com.au/finance/business/banking/commonwealth-banks-dollarmite-scam-exposed/news-story/21c3e1514981063a6b4fd53276216cd6

24. Chargebacks911，2018 年，"What Is Account Takeover Fraud?"
https://chargebacks911.com/account-takeover-fraud/

25. The Scam Hunter，2016 年，"Dormant Account Scams"
http://scamhunter.org/category/dormant-account-scams/

26. ACL，2018 年，"Conducting effective investigations"
https://info.acl.com/CW-Investigations-eBook.html

27. FestusEwell，2015，"ACL Analytics Dormant Account Banking Test"
https://www.dailymotion.com/video/x2uqujd

28. 法務部調查局洗錢防制處出版品，2017，"疑似洗錢交易 Q&A"
https://www.mjib.gov.tw/EditPage/?PageID=35fcd598-91e0-471c-bc45-2b626c147bb9

29. 法務部調查局洗錢防制處國內法規，2017，"疑似洗錢或資恐交易態樣"
https://www.mjib.gov.tw/EditPage/?PageID=076d8266-a060-4888-8d67-c8f9ed514a3b

30. 金融監督管理委員會，2018，"持續推動風險導向內部稽核制度"
https://www.fsc.gov.tw/ch/home.jsp?id=96&parentpath=0,2&mcustomize=news_view.jsp&dataserno=201801180004&aplistdn=ou=news,ou=multisite,ou=chinese,ou=ap_root,o=fsc,c=tw&dtable=News

作者簡介

黃秀鳳 Sherry

現　　任

國際電腦稽核教育協會(ICAEA)台灣分會長

傑克商業自動化股份有限公司總經理

專業認證

ACL Certified Trainer

ACL 稽核分析師(ACDA)

國際 ERP 電腦稽核師(CEAP)

國際鑑識會計稽核師(CFAP)

中華民國內部稽核師

內部稽核師（CIA）全國第三名

國際內控自評師(CCSA)

ISO27001 資訊安全主導稽核員

ICEAE 國際電腦稽核教育協會認證講師

學　　歷

大同大學事業經營研究所碩士

主要經歷

超過 500 家企業電腦稽核或資訊專案導入經驗

傑克公司副總經理

耐斯集團子公司會計處長

光寶集團子公司稽核副理

安侯建業會計師事務所高等審計員

國家圖書館出版品預行編目(CIP)資料

金融業查核 : 行員盜用久未往來帳戶查核實例演
練 / 黃秀鳳[作]. -- 2 版. -- 臺北市 : 傑克商
業自動化, 2019.10
　　面 ;　　公分
ISBN 978-986-92727-7-3(平裝附數位影音光碟)

1.審計 2.稽核 3.電腦軟體

495.9029　　　　　　　　　　　　　108018924

金融業查核-行員盜用久未往來帳戶查核實例演練

發行人 / 黃秀鳳

出版機關 / 傑克商業自動化股份有限公司

地址 / 台北市大同區長安西路 180 號 3 樓之 2

電話 / (02)2555-7886

網址 / www.jacksoft.com.tw

出版年月 / 2019 年 10 月

版次 / 2 版

ISBN / 978-986-92727-7-3